돈과 영어의
비상식적인 관계
1탄

돈과 영어의 비상식적인 관계

1탄

간다 마사노리 지음

작가의 말

두꺼운 책은 잘 팔리지 않는다.
그것이 요즘 출판업계의 상식이다.
그래서 이 책도 처음엔 얇게 만들 예정이었다.
하지만 쓰다 보니 도저히 멈출 수가 없었다.
이 책은 1, 2권 세트로 구성되어 있다.

"와, 두 권을 다 읽으려면 대체 얼마나 걸릴까?"

걱정할 필요 없다.
바쁜 당신을 위해 단시간에 읽을 수 있도록 연구했으니까.
1, 2권을 다 읽는 데 놀랍게도 한 시간밖에 걸리지 않는다.
***먼저 책 전체와 목차, 각 장의 제목, 소제목을 훑어본다.**
***다시 책 전체를 훑어보며 굵게 표시한 문장을 읽는다.**

이 책은 30분 만에 각 권의 개요를 파악할 수 있다.
처음부터 꼼꼼하게 읽어도 즐기면서 단숨에 독파할 수 있다.
당신은 깜짝 놀랄 만큼 짧은 시간에
이 책의 내용을 흡수할 수 있다. 장담한다.
한 가지 부탁이 있다.
***아무리 시간이 없어도 다음 페이지부터 'CHAPTER 1' 사이는, 즉 서장은 반드시 읽어주기 바란다.**
왜냐, 이 책의 가장 중요한 주제를 이야기하기 때문이다.
그것은 내가 지금까지 계속 숨겨왔던 비밀이다.
그 비밀을 공개하겠다.

추천사

'돈과 영어'의 조합이란 말이 낯설게 다가올 수 있다. 하지만 눈치 빠른 독자님은 그 상관관계에 대해 직감적으로 알아차렸을 것이다. 이 책은 놀랍게도 2000년도 초반에 일본에서 출간된 책이다. 그럼 지금 시대에 적용할 수 없는 낡은 지식인가? 천만의 말씀! 국내에 널리 알려진 대기업도 해외 선진국의 비즈니스 모델을 참고한 것에 지나지 않는다. 해외 비즈니스는 여전히 한국보다 훨씬 앞서 있다. 이건 부정할 수 없는 사실이다. 여기서 "예외도 있는데요? 모두 그렇지 않습니다!"라고 반박해도 소용없다. 난 예외를 말하는 게 아니라 보편적인 걸 말하는 거니까.

나는 자신 있게 말할 수 있다. 이 책에서 말하는 것을 따라만 하면, 부를 거머쥘 수 있는 첫 단추를 뗄 수 있다. 이 책은 절판된 책을 재출간한 것으로, 중고 책은 18만 원에 거래되고 있었다. 절판 책이 왜 높은 가격에 팔리는 걸까? 궁금해서 찾아보니 웃돈이 붙어 30만 원에 판매하는 사람도 있었다. 그 이유는 이 책을 읽어본 사람만 알 수 있다. 당신의 경쟁자가 이 책을 읽기 전에 먼저 읽고 실천하라. 내가 해줄 수 있는 얘긴 이것뿐이다.

_손힘찬(오가타 마리토), 《어른의 기분 관리법》 저자

지난 10년 동안 감춰왔던 내 영업 비밀을 털린 기분이다. '돈과 영어', 그 미묘하면서도 비상식적인 관계를 이런 통찰과 함께 보여주다니….

나는 지금까지 4권의 영어책을 쓰면서 1,000권이 넘는 영어책과 교재, 논문들을 읽어왔다. 그 1,000권의 영어책 중 나에게 가장 큰 영향을 준 책이 바로 이 책이다. 영어를 배우는 이유를 깊게 파고 들어가 보면, 결국 '잘 살고자 하는 욕망'을 만나게 된다. 그 욕망을 다른 말로 하면 '돈'이다.

간다 마사노리가 이야기해주지 않으면 어디서도 들을 수 없는 인사이트 가득한 '돈과 영어의 비상식적인 관계' 이야기를 통해서 당신이 영어로 돈을 버는 선순환의 삶을 구현하기를 바란다.

당신의 영어 인생에 건승을 빈다.

_김영익(슈퍼윌), 《챗GPT 영어 혁명》 저자

프롤로그

나는 세계 최고의 MBA로 꼽히는 와튼스쿨을 포함해 미국에서 두 대학원을 졸업했다. 게다가 전직 외교관이었으며, 미국 대형 가전 메이커의 일본 대표였다. 이런 내 경력만으로 다들 내가 영어를 잘할 거로 생각한다. 부끄러움을 무릅쓰고 고백하자면, 나는 아직도 영어가 서투르다.

영어를 잘 모르는 사람에게는 '외국인 수준'이라는 말을 듣지만, 얼버무리는 것이 능숙할 뿐이지 영어가 유창한 건 아니다. 심지어 외국인 앞에선 긴장해서 적절한 말이 떠오르지 않는다. 또 말을 하면 문법적으로 엉망진창이다. 가끔 이런 질문도 받는다. "간다 씨는 영화도 자막 없이 볼 수 있죠?" 아니다. 현실은 일본어 더빙판으로 본다.

단언하지만 나는 영어를 싫어하지 않는다. 오히려 그 반대다. 나는 학생 때부터 영어가 좋았고, 영어를 마스터하고 싶어서 영어와 관련된 대학과 직업을 선택했다. 사회인이 된 후에는 살이 빠질 만큼 열심히 영어를 공부했다. 오죽하면 영어 단어장이 50리터짜리 쓰레기 봉지 세 개에 가득 찰 정도였다.

이렇게 나는 오랜 세월 영어를 잘하기 위해 고생했다. 그 결과 알게 된 것은 무엇일까? **영어는 아무리 공부해도 잘할 수**

없다는 것이다. 열심히 공부하면 잘할 수 있다는 생각을 해서 쓸데없는 노력을 하는 것이다.

당신은 영어를 열심히 공부하면 입에서 영어가 술술 흘러나오고, 외국인 친구도 생기고, 해외 업무를 할 수 있다고 생각하는가? 그건 환상이다. 아니, 환상이라는 말은 지나친 표현이다. 진지하게 공부하면 그렇게 되는 사람도 있다. 하지만 당신이 상상하는 것 이상의 노력과 정신력이 필요하다. 엄청난 시간과 돈도 투자해야 한다.

영어를 철저하게 공부하려면, 나의 다른 꿈과 목표를 희생해야 한다. 모든 것을 희생하여 영어가 유창해지면, 이번에는 영어가 필요한 사람에게 이용만 당할 뿐이다. 실질적인 일은 나에게 돌아오지 않기도 한다. 어떻게 해야 이런 부조리를 해결할 수 있을까? 나는 이 부조리를 해결하고자 이 책을 집필했다.

지금 당신의 꿈과 목표를 희생하지 않고, 가장 짧은 시간에 영어를 잘할 수 있게 하는 게 이 책의 목적이다. 예를 들어 당신의 꿈이 '국제적인 비즈니스'라고 가정하자. 대부분 사람은 영어가 유창해야 해외 비즈니스를 할 수 있다고 여긴다. 이런 생각에 사로잡히면 영어가 유창해질 때까지 해외 비즈니스를 할 수 없다.

나는 이 책에서 비즈니스를 하면서 자연스럽게 영어가 유창해지는 학습 전략을 제시하고 있다. **비즈니스로 돈을 벌며 영어도 유창해지는 일석이조(一石二鳥) 효과를 볼 수 있으며, 단순히 영어를 배우는 방법이 아닌 '영어로 배우는 방법'을 알 수 있다.**

영어는 어디까지나 '도구'다. 문제는 어떻게 해야 영어를 도구로써 배울 수 있을까? 대부분 사람의 영어 공부법은 비슷하다. 영어 발음을 교정받고, 문법 테스트를 치르고, 사전을 뒤지고, 어휘를 늘린다. 그러다 보면 영어 학습 자체가 목적이 돼버리고, 어느새 영어 공부에 흥미도 의욕도 잃는다. 결국에는 스스로 영어를 할 수 없다고 믿는다.

당신도 이런 패턴을 지금까지 몇 번이나 되풀이하지 않았는가? 그런데 이 패턴을 벗어나는 확실한 방법이 있다. 나는 다년간 영어를 공부했고, 미국과의 비즈니스도 꽤나 많이 성사시켰다. 물론 어느 정도 영어 실력이 뒷받침되어야 이룰 수 있는 성과다.

그러나 비즈니스가 성립되지 않았던 경우를 분석한 결과, **별다른 영어 실력 없이도 비즈니스가 성립되는 패턴이 보이기 시작했다.** 이 패턴만 알면 최소한의 영어 실력으로 비즈니스를 성사시킬 수 있다. 일단 비즈니스가 성사되면 싫어도 영어를 빈번하게 접할 수밖에 없다.

해외에서는 손님을 집으로 초대하는 경우가 많다. 그것을 계기로 가족 단위의 교제가 시작되는 것이다. 이런 식으로 자연스럽게 영어를 사용할 수 있는 환경이 만들어지고, 정신을 차려보면 영어를 할 수 있게 된다. 심지어 비즈니스의 범위도 넓어지고, 많은 친구를 사귀게 된다. 이처럼 당신의 세계가 자연스럽게 넓어지는 패턴이 있다. 이런 효과적인 패턴을 당신에게 알려주겠다.

이 책에서 하나 더 강조하고 싶은 건 '당신은 이미 충분한 영어 실력을 지니고 있다'라는 것이다. 예를 들어 도저히 읽을 수 없는 영어 원서가 있는데, 지금의 영어 실력만으로도 그 내용을 충분히 이해할 수 있다. 굉장히 비상식적인 방법이어서 믿을 수 없다는 사람도 많을 것이다.

이에 대한 실험을 한 적이 있는데, 영어를 잘하지 못하는 사람들을 모아 《스타워즈》 원서를 읽고 떠오른 이미지를 그리게 했다. 단 내용을 알 수 없도록 책의 표지에 커버를 씌우고, 위아래를 거꾸로 뒤집어 놓았다. 이런 상태에서 1초에 한 페이지씩 뒷장부터 넘기며 읽게 했다. 당연히 책 본문의 단어를 파악할 여유는 없다.

실험에 참여한 사람들은 원서를 다 읽은 후 책에서 받은 느낌을 그리기 시작했다. 이 사람들은 지금까지 영어 원서를 거의 읽어본 적이 없으며, 몇몇은 중학교 졸업 후 영어를 접한 적이 없는 사람이었다. 즉 원서를 읽을 만한 영어 실력도 없고, 내용을 파악할 수 있는 상황도 아니었다.

그런데도 책에서 어떤 이미지를 감지한 것이다. 더 정확히 말하면, 영어 원서의 내용을 의식적으로 파악한 건 아니다. 다만 전의식(前意識) 단계, 즉 **잠재의식에서 책의 내용을 이미지로 감지한 것이다.** 이런 감지 능력이 있다고 해봤자 다들 미심쩍게 생각할 것이다. 나도 이 실험을 처음 했을 때는 용기가 필요했다. 그러나 이런 현상을 반복적으로 보면서 점점 당연하다고 생각하게 되었다.

백 마디 말보다는 한 번의 증거가 확실하다. 앞에 실험 방법을 설명했으니, 당신도 의심하기 전에 직접 실험해보라. 내가 이 실험을 언급한 이유는 "영어책도 일본어책처럼 읽을 수 있다"라고 주장하려는 게 아니다. 다만 '언어의 장벽'을 초월해서 감지하는 힘이 있으면, 해외의 정보를 스트레스 없이 빠르게 입수할 수 있다고 생각하는 것뿐이다. 이 방법을 이용하면 지금까지 기피 했던 **영어 원서에서 누구보다도 빨리 정보를 손에 넣을 수 있다.**

"굳이 원서로 읽을 것 없이 번역본을 읽으면 되잖아요"라고 반론하는 사람도 있을 것이다. 그런데 문제는 정말 중요하거나 도움이 되는 정보일수록 번역되지 않는 경우가 많다. 영어를 일본어로 번역하면 페이지 수가 거의 두 배로 늘어나는데, 현재 서점에서 두꺼운 책은 잘 팔리지 않고 외면당하기 일쑤다.

따라서 두께가 얇지 않고 내용이 충실한 책일수록 번역되기 힘들다. 그래서 표면적으로는 해외의 정보가 대량으로 쏟아져 들어오는 것 같아도 실제로는 '정보 쇄국 상태'가 점점 더 심화되고 있다. 즉 정보는 늘어나도 정보 처리 속도는 빨라지지 않은 것이다.

일본의 지식은 다양한 분야에서 뒤처져 있다. 내가 관여하고 있는 분야만 해도 그렇다. 마케팅, 매니지먼트, 가속 교육, 심리 카운슬링은 미국보다 10~15년 정도 뒤처져 있다. 해외의 최첨단 지식을 일본에 들여올 수 있는 인재, 일본의 뛰어난 문화와 사상을 해외에 전파할 수 있는 인재가 지금처럼 절실히 필요한 시대는 없을 것이다.

인연이 닿아 이 책을 손에 든 당신은 차세대의 리더가 될 힘이 있다고 나는 믿는다. 따라서 지금까지 내가 경험했던 영어 학습법 중에 '즉각적인 효과'가 있는 방법들을 이 책을 통해서 아낌없이 전하겠다.

나는 비즈니스에 필요한 영어를 배우기 위해 몇 년이나 열심히 공부했고, 몇 번이나 벽에 부딪혔다. 그 결과 한때 통역을 할 수 있을 정도의 영어 실력을 지니기도 했다. 그러나 지금 비즈니스에 사용하고 있는 것은 중학생도 할 수 있는 쉬운 영어뿐이다.

그렇다면 처음부터 중학생 수준의 영어라도 상관없지 않았을까? 나는 이렇게 멀리 길을 돌아왔지만, 당신까지 그럴 필요는 없다. '비즈니스 영어'로 범위를 좁히면 최단코스로 영어를 활용할 수 있는 좋은 방법이 있다.

그러면 이제부터 본격적으로 부와 자유를 얻으며, 영어도 배울 수 있는 비결을 공개하겠다.

간다 마사노리(神田 昌典)

2권의 주요 내용

CHAPTER 4. 3시간 원서 공략법

CHAPTER 5. 국제적인 비즈니스에서 활약하는 워프의 입구

CHAPTER 6. 미래로의 귀환

권말부록. 칸다 마사노리 정보 소스

[비상식적인 영어 활용법 스텝 2]

영어 정보 대량 입력 : 두꺼운 비즈니스 서적을 3시간 만에 읽어보자

[비상식적인 영어 활용법 스텝 3]

영어 세계로의 워프: 모험의 유혹에서 여행을 떠나기까지

[비상식적인 영어 활용법 스텝 4]

비즈니스 교섭 성립: 드디어 클라이맥스 돌입

[비상식적인 영어 활용법 스텝 5]

새로운 인간관계 구축: 전 세계 사람들과 평생 친구가 돼라

[비즈니스 교섭에 도움이 되는 지식 1]

성사시킬 수 있는 비즈니스는 이미 정해져 있다

[비즈니스 교섭에 도움이 되는 지식 2]

영어 실력에 의지하여 상담해서는 안 된다

[비즈니스 교섭에 도움이 되는 지식 3]

최소한의 영어 실력으로 유창하게 말하는 방법

CHAPTER 1

돈이 되는 영어를 배우는 법

01

돈이 열리는 나무의 씨앗은 어디에 있을까?

시작에 앞서 당신에게 문제를 내겠다.

Q. 다음 기업의 공통점은 무엇인가?

① 소니

② 토요타

③ 맥도날드

④ 세븐일레븐

⑤ 야마토 운송

정답은 '미국'이다. 이 다섯 기업은 모두 미국의 노하우를 일본에 들여와서 일본식으로 개선해 큰 성공을 거두었다.

소니는 공동창업자인 이부카 마사루(Ibuka Masaru)와 모리타 아키오(Morita Akio)가 진공관 대신 미국의 반도체에 착안하여 트랜지스터라디오를 만들었다. 토요타도 역사를 거슬러 올라가면 창업자인 토요타 키이치로(Toyoda Kiichiro)가 '일본의 헨리 포드'를 목표한 회사였다.

일본 맥도날드의 창업자 후지타 덴(Fujita Den)은 햄버거의 본고장인 미국의 체인을 통해 고안한 노하우와 시스템을 일본에 도입해 큰 성공을 거뒀다. 세븐일레븐도 마찬가지다. 스즈키 도시후미(Suzuki Toshifumi)는 '편의점'이라는 미국의 점포 형태를 도입해서 일본의 유통 소매 업계에 변혁을 일으켰다.

또 야마토 운송의 오구라 마사오(Ogura Masao)는 미국 맨해튼 사거리에 서 있던 UPS(미국의 택배업체) 트럭을 보고 택배업의 가능성을 직감했다. 게다가 굉장히 일본적이라 여겼던 야마토 운송의 '검은 고양이' 로고조차 미국의 대형 운송업체 얼라이드 밴 라인스의 삼색 고양이를 참고했다고 한다.

이처럼 2차대전 이후 일본의 경제 성장은 앞에서 말한 다섯 기업을 비롯한 많은 일본 기업이 미국의 다양한 노하우를 도입하고 응용한 결과라고 할 수 있다.

그러나 비단 2차대전 이후만이 아니다. '미국'을 '유럽'으로 바꿔보자. 메이지 유신이 떠오르지 않는가? 1만엔 지폐의 초상 인물인 후쿠자와 유키치(Hukujawa Yukichi)는 유럽과 미국을 시찰할 때 얻은 힌트를 도입하여 신문사, 상사, 학교, 은행 등 다양한 조직을 창설하였다.

나라 시대(710~794년)에는 중국의 고승 감진(鑒眞)이 당시 선진국이었던 중국의 수학, 미술, 의술을 전파하여 일본의 발전에 크게 이바지했다. 좀 더 역사를 거슬러 올라가면 한반도에서 벼농사 기술이 전파된 야요이 시대(BC 3세기~AD 3세기)처럼 많은 이주민을 받아들였을 때 일본은 크게 발전하였다.

사실 일본의 문화는 해외의 자극으로 의해 발전해왔다. 그만큼 일본에는 고유문화에 집착하지 않고 뭐든지 받아들이는 융통성이 있다. 쇼와 시대(1926.12.26~1989.1.7)에는 미국이 일본 발전의 발화점이었고, 헤이세이 시대(1989.1.8~2019.4.30.)에도 마찬가지일 것이다. [현재는 레이와 시대로 2019년 5월 1일에 레이와 원년으로 개원했다.]

미리 말해두지만, 나는 미국을 무조건 예찬할 생각은 없다. 솔직히 미국적 자본주의에는 말기적 증상이 나타나고 있으며, 가까운 미래에는 사실상 새로운 체제로 이행할 것이라고 본다. 그런데도 한 가지 인정하지 않을 수 없는 사실이 있다.

미국의 구조 자체에는 여전히 '프런티어(Frontier) 정신'이 넘치고 있다. 신규 개업률이 일본의 세 배 이상이나 되기 때문에 항상 새로운 비즈니스가 탄생할 토양이 마련되어 있다. 대기업에 취직해서 출세하는 것과 마찬가지로, 사업을 시작하여 비즈니스 오너가 되는 것도 나쁘지 않다는 가치관의 변화도 일본보다 10년 이상이나 앞서 일어났다.

한때 전 세계적으로 '일본이 1위(Japan as No. 1)'라고 추켜세워진 적이 있다. 당시 일본은 우쭐거리며 "이제는 미국에서 배울 것이 없다"라고 거들먹거렸다. 하지만 일본이 자만에 빠져 있을 때 미국은 다시 일본을 앞질렀다. 그런데 일본은 미국이 '상당히' 앞서 있다는 사실을 제대로 느끼지 못하고 있다. 일본과 미국의 차이는 줄어들기는커녕 더욱 빠른 속도로 벌어지고 있다.

그 결과 미국에는 일본에서 성공할 수 있는 '비즈니스의 씨앗'이 지금까지 이상으로 흘러넘친다. 따라서 미국의 콘셉트와 노하우를 일본에 도입하면 가치 있는 비즈니스가 얼마든지 탄생할 수 있다.

보기에 따라서는 당첨된 복권이 여기저기 떨어져 있는 상황인 셈이다.

그 씨앗을 선별하여 일본으로 가져와서 심는 것은 당신의 생각만큼 어렵지 않다. 약간의 지식과 행동력만 있으면 누구나 할 수 있다.

02

우둔한 거북이가 가메라가 된 비결

미국에 기회가 널려 있다는 말은 결코 탁상공론이 아니라 실제로 내가 체험한 것이다. 정말이다. 무엇을 감추랴. 내가 성공한 것은 바로 미국 덕분이다.

좀 더 확실한 설명을 위해 내 자랑을 하겠다(조금 아니꼽겠지만).

한마디로 나는 성공했다.

나 자신도 믿을 수 없을 만큼 대성공을 거두었다. '성공은 무슨. 아직 멀었습니다'라고 말하는 게 어른스러운 태도이긴 하다. 하지만 나는 단순한 벼락부자로, 언제 망해도 이상할 필요가 없다. 그러니까 당당히 내 진심을 말하겠다. 애초에 내가 성공한 것은 1억 엔짜리 복권에 당첨된 것이나 마찬가지다. 내 가족들도 '기적', '세계 7대 불가사의'라고 말할 정도다.

나는 한창 젊은 28살에 정리해고를 당했다. 약혼 전 아내의 부모님께 인사드리러 갔을 때는 실직 상태였다. 33살에는 직장에서 겨우 사업을 궤도에 올려놨더니 엔화 하락으로 이익이 전부 날아갔다. 또다시 실직한 후 여러 직장을 전전했는데 다시 취직해도 출세할 가능성은 딱히 없었다. 그래서 어쩔 수 없이 내 사업을 시작했다.

불운과 행운은 종이 한 장 차이라고 하던가. 개업 타이밍이 좋았던 탓에 내 사업은 성공 궤도에 올랐다. 돈을 벌기 시작하면 비즈니스는 마약과 마찬가지다. 나는 중독되었고, 정말 미친 듯이 일했다. 일하면 일할수록 은행 잔고는 늘어났고, 부호 순위에도 올랐다. 3년 후에는 평생 살 수 없을 것으로 생각한 땅과 단독주택을 현금으로 샀다.

하지만 인생이란 산이 있으면 골짜기도 있는 법이다. 우편함에 이혼서류가 들어 있을 때도 있었고, 원인불명의 병으로 사원들이 차례차례 쓰러진 적도 있었다. 물론 힘든 일도 많았지만, 최소한 이제 생활을 꾸리기 위해 일할 필요는 없었다.

훌륭한 사람들은 '돈은 좇는 것이 아니다'라고 말한다.

하지만 나는 돈을 좇았다.

돈을 좇고, 또 좇은 결과 돈 때문에 걱정할 필요가 없게 되었다. 경제적으로 성공을 거두면 많은 사람이 '특별하다', '뛰어나다', '천재다'라고 말한다. 하지만 고백하건대 나는 보통 이하의 인간이었다.

옛날에는 친구도 없었다. 학교에 다닐 때도, 샐러리맨 시절에도 나는 주위 사람들과 뭔가가 달랐다. 언제나 나만 붕 떠 있는 듯한 느낌이었다. 붕 떠 있는데도 주위와 맞추려다 보니 필연적으로 비굴해졌다. 여자에게도 인기가 없었다. 초등학교 1학년 때 밸런타인데이에 초콜릿을 받은 것이 전부다.

당신의 주변에도 종종 있지 않은가? 술자리나 모임에서 입만 열면 주위의 공기가 갑자기 썰렁해지는 사람이. 내가 바로 그랬다. "남자로 태어났으니 '운전'과 '연애'에 서툰 남자는 되지 않겠다." 어느 F1 레이서의 말이다. 슬프게도 나는 양쪽 다 서툴다. 그 밖에 서툰 것 리스트를 꼽자면 사람들과의 교제, 테니스, 골프 등 한도 끝도 없다. 게다가 난 엄청난 근시에 젊을 때부터 노안 얼굴이었다.

고등학교 2학년 때는 미용실에서 미용사에게 '아직 20대죠?'라는 말을 들을 정도였다. 감수성이 예민했던 17살 소년은 마음에 깊은 상처를 받기도 했다. 이렇듯 나는 옛날부터 '근본적으로 글러 먹은 인간이 아닐까?' 싶은 열등감을 품었다. 나 자신이 너무 싫어서 견딜 수가 없었고, 차라리 사라져 버리고 싶다고 생각한 적도 있다.

그랬던 내가 '성공했다'라고 단언할 수 있게 된 것이 신기할 따름이다. 어느 날, 문득 이런 생각을 해보았다.

'인생에 좌절할 수밖에 없었던 내가 어떻게 단기간에 부와

경제적 자유를 얻을 수 있었을까?'

'어떻게 마음에 드는 사람만 만나고, 좋아하는 일만 할 수 있게 된 것일까?'

물론 내가 아무 노력 없이 성과를 거둔 것은 아니다. 남보다 능력이 떨어지는 만큼 나는 거북이처럼 착실하게 노력했다. 덕분에 성적은 끝에서 세는 편이 빨랐지만, 학력만큼은 내세울 만하다. 나 자신에게 스스로 물어보았다.

나에게 있어 성공의 돌파구는 무엇이었을까? 그러자 느닷없이 대답이 떠올랐다. 무엇일 것 같은가?

그것은 영어다. 영어!

당시 나는 영어를 활용해서 미국의 많은 정보를 얻을 수 있었다. 영어를 활용할 수 있었기에 느림보 거북이는 제트엔진을 달고 가메라(Gamera, 엄청난 힘을 지닌 거북이 괴수)가 되어 하늘을 날게 된 것이다.

무엇을 감추랴. 내가 성공한 비즈니스는 전부 미국에서 들여온 것이다. 하나는 고객 획득을 주력으로 삼는 컨설팅 사업이고, 또 하나는 가속 교육을 활용한 속독법과 능력개발 강좌였다.

샐러리맨 시절에는 바퀴 달린 식기 세척기와 대형냉장고를 수입해서 판매했다. 그 밖에 소원을 이뤄주는 탁상시계를 판매하기도 했고, 매상을 올려주는 판촉 물품을 취급하기도 했다.

03

성공의 열쇠는 아주 약간의 영어 실력이다

나는 미국의 다양한 비즈니스에 도전했다. 도중에 좌절한 프로젝트도 많았지만, 그중 한두 개가 성공한 것만으로도 내가 상상했던 이상의 돈을 벌 수 있었다.

내 성공의 계기는 해외 출장을 갔을 때 우연히 본 잡지 광고에서 비롯되었다. 실제로 광고에서 재미있어 보이는 상품과 서비스 자료를 주문했다. 또 필요하면 상대편에 팩스를 보내 판매권을 교섭하고 계약한 후 일본에서 비즈니스에 착수했다. 그뿐이다.

"그뿐이라고? 그럴 리가 없어! 말은 쉽지만 애초에 영어로 교섭하는 게 어렵잖아!"

아니다. 어렵다고 생각하는 것이 바로 함정이다.

요즘 판매 교섭은 생각보다 간단하다. 이메일만으로 계약할 수 있는 상품과 서비스는 얼마든지 있다. 이런 말이 있다. 해외의 상품이나

서비스를 일본에 그대로 들여오면 안 된다고. 일본의 문화에 맞춰 응용해야만 일본에서 팔린다고. 그건 거짓말이다.

나도 매스컴의 취재에는 의기양양한 얼굴로 이렇게 대답할 것이다.

"해외의 사업을 기초로 일본에서 응용을 거듭한 결과 성공한 것일 뿐, 그대로 들여오면 안 됩니다."

그래야만 기업의 노력을 고객에게 과시할 수 있고, 라이벌 기업의 도입 장벽을 높일 수도 있다. 물론 해외의 상품과 서비스를 판매하기 위해서는 일본인의 감성에 맞게 어느 정도 바꿔야 할 필요가 있다. 하지만 그것은 상품의 20퍼센트, 즉 세부적인 면에 속한다. 그 상품이 팔릴지 아닐지를 결정하는 특성의 80퍼센트는 동일하다. 아무것도 없는 상태에서 상품을 만드는 것과 어느 정도 토대가 있는 상황에서 개발하는 것은 노력 면에서 비교가 되지 않는다.

나는 해외의 선진 노하우를 도입해서 일본에 맞게 살짝 개선한 것뿐이다. 특히 가속 교육 분야는 미국에서 19년간 개발한 노하우를 반년 만에 일본으로 도입할 수 있었다. 내 실력이 아니다. 미국인 덕분에 나는 편하게 돈을 벌 수 있었다.

이처럼 영어는 내게 단기간에 많은 것을 주었다. 돈 때문에 일하지 않아도 될 정도로 많은 재산을 모은 것도 전부 영어 덕분이다. 몇 년간의 '비즈니스 경험'과 '아주 약간의 영어 실력'만 있으면 막대한 기회가

보이게 된다.

남은 것은 열심히 일하는 것뿐이다. 어느 정도 시간이 흘러 정신을 차려보면 스스로 놀랄 만큼 성공해 있는 자신을 마주할 것이다. 이것은 개인적인 체험을 통해 얻은 나의 결론이다.

04

타이태닉호가 눈앞에 있어도 보려고 하지 않으면 보이지 않는다

앞에서 말한 것처럼 내 성공의 열쇠는 '비즈니스 경험'과 '약간의 영어 실력'이다. 이런 내 결론을 남들에게 말하면 일단 부정적인 대답부터 날아온다. 이렇게 조언하는 사람도 있었다.

"말도 안 되는 소리 하지 마세요. 간다 씨 정도 되니까 해외 정보를 활용해서 성공할 수 있었던 거죠. 다른 사람은 어림도 없어요."

빈말인 줄 알았는데 그건 아닌 모양이다. 상대는 진지하게 믿고 있었다. 영어를 조금 할 줄 안다는 것만으로 성공할 수 있을 리 없다고. 또 내가 '누구나 성공할 수 있다'라고 주장하는 건 많은 사람을 현혹하는 죄라는 것이다. 그건 맞는 말이다. 불가능한 일을 가능하다고 속여서 환상을 품게 하는 것은 죄다.

또 요즘 세상은 영어 좀 할 줄 안다고 성공할 수 있을 만큼 호락호락하지 않다. 사실이다. 내가 취직할 때 도움을 줬던 은

인도 이렇게 말했다.

"요즘은 누구나 영어를 할 수 있다. 영어를 배워봤자 아무 의미도 없다. 영어를 할 줄 알면 오히려 편리하게 이용당할 뿐이다."

영어를 할 줄 알아봤자 별것 아니라는 사실을 알면서도 나는 다시 한번 말하고 싶다. **그래도 역시 영어는 중요하다. 포기하기에는 아깝다.**

어느 정도 비즈니스 경험을 쌓은 사람에게 영어권의 정보를 입수할 수 있는 능력은 비즈니스를 지속해서 발전시킬 수 있는 중요한 열쇠다. 영어를 통해 얻을 수 있는 기회는 또다시 늘고 있기 때문이다. 비즈니스계는 영어의 가치를 과소평가하고 있다. 영어를 배워봤자 돈이 되지 않는다고 말이다. 그렇기에 더욱 커다란 기회가 잠들어 있다.

조금이라도 영어를 활용할 수 있는 사람에게는 타이태닉호가 홀연히 나타나는 것처럼 거대한 현금다발이 눈앞에 나타날 것이다. 나는 외국에 갈 때마다 '앗 여기도 1억 엔, 저기도 1억 엔인데 왜 아무도 줍지 않는 걸까?' 하며 고개를 갸웃거리곤 한다. 그냥 줍기만 하면 되는데 다들 영어를 포기한 탓에 그 기회가 보이지 않는 것이다.

사실 '성공할 수 없는 데 성공할 수 있다'라고 착각하게 만드는 건 당연히 죄다. 하지만 '성공할 수 있는 데도 성공할 수 없다'라고 착각하게 만드는 것도 죄가 아닐까? 내게 요즘 세상은 '할 수 없다'라는 최면에 걸려 있는 것처럼 보인다.

"할 수 없다, 별것 아니다, 그렇게 호락호락하지 않다, 그런 건 누구나 할 수 있다."

이런 말들은 전부 최면술이다. 최면술에 걸려 자신의 가능성을 막아버리고 있는 사람이 너무나도 많아 안타깝다.

나는 거북이였다. 그래도 껍질 속에 틀어박히지 않았다. 최면술에 걸려 동면하는 것을 거부했다. 당신도 최면술에서 깨어나 보지 않겠는가? 적어도 성공할 수 있을지 없을지, 이 책을 통해 그 진위를 판단해 보지 않겠는가? 조금만 영어를 할 줄 알아도 비즈니스의 기회는 크게 확대된다.

내가 그렇게 생각하는 3가지 이유를 하나씩 이야기하겠다 ([영어를 배우면 기회가 많아지는 이유 1~3] 참고).

05

영어를 배우면 기회가 많아지는 이유 1

현재 일본은 정보 쇄국 상태, 그러니까 돈을 벌 수 있다

내 생각에 현재 일본은 쇄국(외국과의 통상과 교역을 금지함) 상태다. 말도 안 된다고 생각하는 사람도 있을 것이다. 이런 정보화 시대에, 그것도 민주주의 국가인 일본에서 쇄국이라니. 차근차근 하나씩 이야기하겠다.

확실히 현재 일본에는 해외의 정보가 홍수처럼 쏟아지고 있다. 당장 TV를 켜면 CNN 방송이 나오고, 2개 외국어를 할 줄 아는 캐스터들도 많다. 인기 가수들은 제목이 영어인 곡을 가사도 영어로 노래한다. 영어 학원을 비롯해 '영어 산업'이 이렇게 성황을 이루는 나라는 달리 찾아볼 수 없을 것이다.

일본은 국제화되었다. 이제는 '글로벌 스탠더드(Global Standard)'라는 말조차 구태의연하게 느껴질 정도다. 그렇다면 국제화된 일본의 영어 실력은 어떤가? 너무 썰렁하다. 그게 현실이다.

예를 들어 미국으로 유학을 떠나기 위해 실시하는 영어 학력 테스트(TOEFL)가 있다. 아시아 25개 나라의 테스트 결과를 보면 일본은 몇 위일까? 25개 나라 중 25위… 꼴찌다! 일본 외에 꼴찌인 나라가 또 있다. 놀랍게도 북한이다! 쇄국 상태인 북한과 꼴찌를 다투고 있다니… 이것이 의무교육을 포함해 몇 년 동안 영어를 공부한 일본인의 진정한 영어 실력이다. 이러니 쇄국 상태라는 말이 나올 수밖에!

이런 테스트 결과에 대해 2가지 이유를 들며 반론하는 사람들도 있다.

첫째, 일본은 다양한 레벨의 수험생이 테스트를 치르지만, 다른 아시아 나라들은 엘리트밖에 치르지 않는다. 수험료가 130달러나 되기 때문이다. 그러니 일본의 평균점이 낮은 것은 당연하다.

둘째, 일본은 다른 나라(영어권)의 식민지가 된 적이 없다. 그래서 일본인의 영어 실력이 낮을 수밖에 없다.

그런 변명이 있는 것은 인정한다.

하지만 아무리 변명해도 영어를 못한다는 사실은 변함이 없잖아!

우리 선조들은 분명히 지금의 일본인을 안타깝게 생각하고 있을 것이다. 그렇다고 일본인이 절대로 어학 능력이 뒤떨어지는 국민은 아니다. 영어 교재가 없었던 메이지 시대

(1868~1912년) 사람들의 영어 실력에는 고개가 절로 숙여진다.

오카쿠라 텐신(Okakura Tenshin), 우치무라 간조(Uchimura Kanjo), 스즈키 다이세쓰(Suzuki Daisetsu) 등 메이지 시대의 지식인들이 쓴 영문은 완벽하다. 게다가 격조도 높다. 당시 대학교수들은 당연히 몇 개 외국어를 구사했다. 대학을 졸업한 사람들의 영어 실력도 지금과는 비교도 안 될 만큼 뛰어났다. 애초에 일본어 교과서가 거의 없어서 영어 원서로 강의를 했을 정도였다.

이타미 만사쿠(Itami Mansaku) 감독의 〈새로운 땅〉이라는 영화가 있다. 1937년에 제작된 일본 최초의 국제 영화로, 놀랍게도 일본과 독일 합작 영화다. 작품에서 하라 세츠코(Hara Setsuko) 배우는 독일어를 유창하게 구사한다. 영화니까 당연하다는 사람도 있겠지만, 도저히 어중간한 연기로는 볼 수 없는 완벽한 발음이었다. 그 완벽함을 추구하는 모습에서 외국어를 진지하게 접했던 당시의 마음가짐이 느껴졌다.

우리 선조들은 겸허하게 외국어를 접했다. 외국에서 조금이라도 많은 것을 배우려는 진지한 자세를 지니고 있었다. 지금 우리는 교만에 빠져 외국에서 배우려는 노력을 아끼고 있는 것 같다.

06

영어를 배우면 기회가 많아지는 이유 1

일본에서는 좋은 책일수록 번역되지 않는다

"옛날에는 해외의 정보가 별로 들어오지 않았기 때문에 영어를 공부하고, 영어로 정보를 입수해야만 했다. 그러나 지금은 많은 정보가 빠른 속도로 번역되어 쏟아져서 해외의 최신 정보를 별다른 시간 차이 없이 일본어로 입수할 수 있다. 그러니까 굳이 영어를 배울 필요는 없다."

그렇게 생각할 수도 있다. 하지만 생각해보라. 대체 어떤 정보가 번역되어 우리에게 소개되는 것일까? 원서를 번역하려면 돈이 든다. 물론 번역 프로그램도 있지만, 제대로 된 일본어로 번역하려면 경험 있는 인재가 필요하다. 즉 번역에는 시간과 비용이 들기에 많은 사람이 원하는 '대중적인 정보'만 번역되기 마련이다.

그 결과 시사나 연예 뉴스 같은 대중적인 것만 번역된다. 비즈니스에 힌트가 될 만한 '질 좋은 정보'는 적극적으로 노력하지 않으면 손에 넣을 수 없다.

"무슨 소리야? 비즈니스 서적 판매 순위를 봐. 로버트 기요사키(Robert Kiyosaki)의 《부자 아빠, 가난한 아빠》나 스펜서 존슨(Spencer Johnson)의 《누가 내 치즈를 옮겼을까?》 같은 번역서가 있잖아!"

그건 그렇다. 당신이 무슨 말을 하고 싶은지는 안다. 하지만 그건 빙산의 일각일 뿐, 영어권에는 비즈니스에 도움이 될 만한 책이 훨씬 많이 출판되고 있다. 일본의 출판계는 끝없는 불황에 시달리고 있다. 특히 비즈니스 서적 시장은 해마다 축소되는 추세다. 반면 미국에서는 1990년대 이후 창업자가 증가하면서 비즈니스 서적 시장이 성장세를 보였다. 그만큼 일본과 미국의 차이는 더욱 크게 벌어졌다.

이런 상황은 영국과 오스트레일리아도 마찬가지로, 영어권에서 출판되는 훌륭한 책이 일본에서는 번역되지 않는 딜레마를 낳았다. 사실 번역되지 않는 이유는 또 있다. 일본에서는 두꺼운 책이 팔리지 않는다. 슬프지만 출판계의 현실이다. 비즈니스는 물론 다른 분야도 쉽게 읽을 수 있는 가볍고 얇은 책이 아니면 팔리지 않는다(평균 책 두께가 불과 15mm 정도다).

그러나 미국의 비즈니스 서적은 두껍다. 300페이지는 고사하고 500페이지가 넘는 책들이 많다. 사실 이런 책일수록 많은 도움이 된다. 일단 일본에는 없는 참신한 견해가 많다. 미국에서는 다양한 배경을 지닌 독자를 대상으로 삼아야 하기에 문화를 초월하여 공통으로 들어맞는 방법론을 중시한다. 그래서 구체적이고 응용할 수 있는 내용이 많다.

또 일본에서는 비즈니스 서적 한 권을 제작하는 기간이 짧은데, 집필부터 발행까지 2~3개월 정도밖에 걸리지 않는다. 어느 날, 한 미국인 컨설턴트가 내게 책 한 권을 집필하는 데 얼마나 걸리는지 물어왔다. '3주일'이라고 대답했더니 눈을 동그랗게 뜨며 놀라워했다. 그럴 것이 미국에서는 한 권의 책을 1~2년에 걸쳐 집필하는 게 드물지 않다. 그만큼 철저하게 다듬어진 원고가 출판된다.

이렇게 영어권에서는 이런 수준 높은 양서가 대량으로 출판되고 있다. 반면 일본의 출판계는 이런 현상에 어떻게 대처하고 있는가? 대부분 체념하고 만다. 슬픈 일이다. 여기 500페이지 분량의 영어 비즈니스 원서가 있다고 가정하자. 일반적으로 영어를 일본어로 번역하면 분량이 배가 된다. 500페이지면 1,000페이지 가깝게 늘어나는 셈이다.

그래서 출판사는 '이래서는 도저히 팔리지 않는다'라며 번역을 포기한다. 수지타산이 맞지 않는 것은 사실이니 출판사를 비난할 수는 없다. 그러나 영어권에서는 포기하기엔 너무도 아까운 책들이 매달 출판되고 있다.

07

영어를 배우면 기회가 많아지는 이유 1

내 인생을 바꾼 책

인생과 마찬가지로 책과의 만남은 운명이다. 내 인생을 바꿔준 책 리스트의 극히 일부를 공개한다. [원서명 표기를 원칙으로 하되 국내 번역된 책은 한글명으로 표기한다.]

(1) 광고, 이렇게 하면 성공한다(Tested Advertising Methods) / 존 케이플스(John Caples) 저

광고업계의 전설인 저자가 오랜 세월 동안 쌓은 광고의 노하우와 효과를 요약한 책이다. 미국에서는 다이렉트 마케팅(Direct Marketing)의 바이블로 추앙받고 있다. 나는 이 책 덕분에 최소한 수천만 엔은 벌었다.

(2) Managing Corporate Lifecycles(기업 생명 주기의 관리) / 아이착 에이디제스(Ichak Adizes) 저

우리 회사가 급성장했을 무렵 다양한 매니지먼트 문제가 발생했다. 차례차례 쓰러지는 사원들, 항의 전화 등 당시 위태로운 상황에서 단기간에 조직을 근본적으로 재검토해야 했다. 그때 주문한 적도 없는 이 책이 책상 위에 홀연히 나타났다. 첫 장을 넘긴 순간 '굉장한 책'이라고 직감했다. 열심히 읽고 나서 우리 회사에 응용해본 결과 서서히 성과가 올라갔던 기적의 책이다. 매니지먼트에 관해 이 책을 능가하는 책은 본 적이 없다.

(3) Awakening the Heroes Within : Twelve Archetypes to Help Us Find Ourselves and Transform Our World(각성한 영웅들의 길 : 우리가 자신을 발견하고 세상을 변화시키는 12가지 원형) / 캐롤 S. 피어슨(Carol S. Pearson) 저

내 목숨을 구해준 귀중한 책이다. 과속으로 면허정지를 당해서 운전면허센터에 출두했을 때, 기다리는 동안에 읽으려고 얼떨결에 집어 들었다. 이 책을 통해서 살다 보면 부와 명성을 포기해야 할 때가 있음을 배웠다. '인생 게임'의 모든 룰이 이 책에 담겨 있다.

*****

이 3권의 책은 지금의 내가 있도록 큰 도움을 주었다. 좋은 책을 만나면 인생이 바뀐다. 그런데 일본에서는 책이 얇아야 잘 팔린다는 이유로 그런 '운명적인 만남'이 사라져가고 있다. 슬프지 않은가? 그러나 체념하기에는 아직 이르다. 여기 해결책이 있다.

원서로 읽으면 된다.

"원서로 읽으라고? 영어를 못하는데 어떻게 읽어?"라며 불안해하는 당신, 괜찮다. 내게 맡겨라. 좋은 방법을 가르쳐주겠다. **현재의 영어 실력으로 원서에서 정보를 끄집어내는 방법이 있다. 전제는 중학생 수준의 영어 실력을 지니고 있어야 한다.** 자세한 방법은 나중에 설명하겠지만, 누구든지 할 수 있다고 장담은 어렵다. 그러나 영어를 의무적으로 교육받은 수준으로 충분하다. **지금까지 원서 같은 건 도저히 읽을 수 없었던 사람도 이 방법을 이용하면 일 년에 수십 권씩 원서를 읽을 수 있다.**

서적의 정보처리법에 대한 아주 약간의 지식과 자신의 분야를 탐구하고자 하는 지식에 대한 욕심만 있으면, 당신은 단숨에 영어권의 막대한 정보를 직접 얻을 수 있다. 나날이 진화하는 인류 공통의 지혜로 통하는 문을 지금 당장 열 수 있는 것이다. 쇄국 상태에서는 해외의 정보를 지닌 사람이 비즈니스의 수많은 기회를 얻는다.

에도 시대(1603~1868년)의 무사로 일본 근대화를 이끈 사카모토 료마(Sakamoto Ryoma)가 있다. 그는 해군을 창설할 돈을 벌기 위해 카이엔타이라는 무역상사를 설립했다. 후쿠자와 유키치는 《서양 사정》을 집필하여 일약 시대의 총아가 되었으며 금융, 신문사, 상사, 학교 등 다양한 사업을 실행했다.

이처럼 나라가 개방되는 시기에는 해외의 정보를 지닌 사람이 중시되었다. 역사적인 인물이란 단순한 사상가가 아니라 상업에 재능이 있는 창업자이기도 했다. 비즈니스 기회를 잡는 첫걸음은 '어항 밖에는 멋진 바다가 있다'라는 사실을 아는 것이다. 그리고 바다로 헤엄쳐 나와 즐거움을 느끼는 것이다.

08

영어를 배우면 기회가 많아지는 이유 2

타임머신을 타면 성공할 수밖에 없다

결론부터 말하겠다. **미국은 일본보다 10~15년은 앞서 있다.** 게다가 그 혁신 속도는 앞으로도 늦춰지지 않을 것이다. 미국에는 일류를 목표로 세계 탑클래스(Top Class)의 인재들이 모여들기 때문이다. 노벨 생리의학상을 수상한 토네가와 스스무(Tonegawa Susumu)도, 일본 록의 상징인 야자와 에이키치(Yazawa Eikichi)도, 일본 최고의 타자인 야구선수 스즈키 이치로(Suzuki Ichoro)도 다들 미국으로 향했다. 슈퍼맨끼리 경쟁하는 곳에서 자신을 더욱 갈고닦기 위하여.

그에 비해 일본은 안일주의에 빠져 있다. 그리고 대부분 사람은 그 속에서 뛰쳐나오지 않는다.

토끼가 열심히 달리는 동안 거북이는 쉬고 있는 셈이니 차이가 줄어들 리 없다.

반론하는 사람도 있을 것이다. 일본의 특허 출원 수는 세계

2위이며, 일본에는 세계에 자랑할 만한 기술이 잔뜩 있다고. 맞는 말이다. 나도 일본의 저력을 믿는다.

그런데 나는 경제학자로서 거시경제(Macro Economy)를 논하려는 게 아니다. 단순히 '장사를 좋아하는 아저씨'로서 이야기하고 싶을 뿐이다. 생맥주를 벌컥벌컥 마시며 벌겋게 물든 얼굴로 당신에게 묻고 싶다. 타임머신을 타고 싶지 않냐고. 10년 후의 세상을 보고 싶지 않냐고.

10년 이상 앞서 있는 미국의 정보를 얻는 것은 타임머신을 타는 것과 마찬가지다. 타임머신이 등장하는 영화에서는 부도, 사랑도 자유자재다. 아무리 게으른 사람이라도 뭐든지 할 수 있다.

여기서 타임머신이란, 내가 체험한 기분을 정확하게 표현하는 말이다. 그것을 전하기 위해서 내가 어떻게 타임머신을 타고 비즈니스 기회를 발견했는지를 이야기하겠다.

09

영어를 배우면 기회가 많아지는 이유 2

다이렉트 리스폰스 마케팅과의 만남

비즈니스의 기회는 대체로 괴로울 때 찾아온다. 나 역시 그랬다. 당시 나는 미국의 가전제품 회사에 근무하고 있었다. 내가 맡은 일은 일본 시장을 개척하여 시장점유율 10퍼센트를 달성하는 전략을 구축하고 실행하는 것이었다. 가전제품의 왕국 일본에서 시장점유율 10퍼센트를 달성하는 것은 사실상 불가능하다. 나는 일본 기업과 제휴·매수 교섭을 계속했지만, 그들은 진지하게 상대해주지 않았다.

당시 나는 좋은 결과를 얻지 못해서 초조한 상태였다. 시카고 회의에 참석해서도 일본 시장의 매력을 아무리 설명해봤자 대부분 주목하지 않았다. 전략적으로 봐도 중국 경제가 개방된 후부터 일본의 중요성은 급속히 하락했다. 그나마 주목받는 것은 싱가포르인과 홍콩인뿐이었다.

어떤 방도를 취하지 않으면 정리해고 당하는 건 시간문제였다. 나는 이미 정리해고 당한 경험이 있다. 또다시 해고당하면 독립(창업)할 수밖에 없는 상황이었다. 그러나 독립해봤자 지금보다 많은 돈을 벌 수 있을까? 대체 어떤 상품을 팔아야 할까? 장사 따윈 해본 적 없는 월급쟁이가 매상을 올릴 수 있을까?

이렇게 매일매일 불안해서 견딜 수 없었다. 회의를 마치고 귀국하기 전날 밤, 호텔에 혼자 있기가 쓸쓸해서 시카고 거리를 걸었다. 그러다가 미국 최대의 서점 체인인 반스앤노블(Barnes & Noble)에 들렀다. 그때까지 〈이코노미스트(Economist)〉나 〈비즈니스 위크(Business Week)〉 밖에 읽지 않았던 내가 걸음을 멈춘 곳은 창업 관련 코너였다.

문득 요란한 표지의 〈석세스 매거진(Success Magazine)〉이라는 잡지가 눈에 띄었다. 노골적으로 '성공(Success)'을 내세우는 게 왠지 민망하게 느껴졌다.

'어차피 성공을 미끼로 독자를 모으는 내용 없는 잡지겠지.'

'설령 내용이 있어도 미국의 창업 정보가 일본에서 성공하는 데 도움 될 리 없어.'

나는 그렇게 의심하면서도 비행기 안에서 '시간이나 때우자'란 가벼운 생각에 창업 관련 잡지 몇 권을 샀다. 바로 이때가 '창업이란 먼 세계의 일이며, 패배자의 발상'이라고 믿었던 나의 개념이 순식간에 변하는 순간이었다.

다음 날, 노스웨스트 항공 NW17편을 타고 귀국길에 올랐다. 안정 비행에 접어든 후 식사가 나올 때까지 남은 시간에 어제 산 〈석세스 매거진〉을 꺼내 읽었다. 그런데 내가 예상한 것보다 훨씬 재미있는 게 아닌가? 나는 단숨에 푹 빠져 버렸다.

대기업에서 자신의 의견을 관철하기 위한 그럴듯한 이론이나 처세술이 아닌 '아무것도 없는 상태'에서 사업을 시작하기 위한 '구체적인 방법'이 제시되어 있었다. 당시 아무것도 없는 상태에서 시장을 확보하는 게 내 일이었기에 〈석세스 매거진〉에 담긴 내용은 MBA에서 배운 지식보다 훨씬 더 일과 직결된 것처럼 느꼈다.

사실 그 잡지에서 제일 재미있었던 것은 기사보다 '광고'였다. 굉장히 수상한 흑백 광고가 실려 있었다. 「팬티 한 장 차림으로 식탁에서 매일 3,000달러를 버는 방법」, 이 문구와 사진은 나를 자석처럼 끌어당겼다. 사진에는 정말 팬티 한 장만 입고 일하는 남자의 모습이 담겨 있었다. 사기 같은 광고였지만 눈을 뗄 수가 없었다.

물론 세계적인 우량기업의 간부인 내가 읽을 만한 내용은 아니었다. 도쿄대 법학부 출신의 엘리트 사원이 「갖고 다니기만 하면 부자가 되는 노란 지갑」 같은 광고를 손에 땀을 쥐며 읽는다니 말이 되는가. 나는 '속는 거 아냐?'라는 불안을 느끼면서도 주저하며 자료를 요청했다. 그 광고는 당시 미국의 TV에서도 CM이 방영되었던 제프 폴(Jeff Paul)의 창업용 오디오 교재 광고였다. 그것이 내 사업의 기둥이 된 다이렉트 리스폰스 마케팅(Direct Response Marketing, 이하 DRM)과의 첫 만남이었다.

DRM이란 광고와 홍보를 비교적 저렴한 비용으로도 최고의 효과를 낼 수 있도록 실행하여 매출에 직결시키는 노하우다. 이쪽에서 판로를 확보하는 것이 아닌 고객이 흥미를 느끼면 구매를 요청하는 방식이라 세일즈에 서툰 사람도 스트레스 없이 고객을 확보할 수 있다.

당시 나는 아무리 생각해봐도 일본 매장에서 취급해 줄 것 같지 않은 대형 냉장고와 식기세척기를 판매하고 있었다. 도무지 팔리지 않는 상품을 바이어에게 팔러 가는 것이 너무너무 싫어서 견딜 수 없었다. 그래서 굳이 내가 팔러 가지 않아도 저쪽에서 '사고 싶어요'라고 손을 든다는 콘셉트가 나를 사로잡았다.

그런 꿈같은 일이 있을 리 없다고 생각했지만, 이 마케팅 수법을 조금 공부해보자 납득할 수 있는 설명이 많았다. 게다가 그 노하우는 100년 이상의 역사를 지니고 있으며, 그만큼 성공 사례와 데이터도 풍부했다. 미국의 대형 광고대리점 창업자인 데이비드 오길비(David Ogilvy)는 "모든 광고업자는 다이렉트 리스폰스 경험을 쌓아야 한다"라고 말했을 정도다. 그만큼 확실한 지식체계를 갖추고 있었다.

나는 이 분야에서 '교주'라 불리는 사람들의 책과 세미나 테이프를 닥치는 대로 샀다. 댄 S. 케네디(Dan S. Kennedy), 조 슈가맨(Joe Sugarman), 게리 할버트(Gary Halbert), 테드 니콜라스(Ted Nicholas), 조 폴리시(Joe Polish), 로버트 콜리어(Robert Collier), 존 케이플스(John Caples), 조 커보(Joe Kerbo), 멜빈 파워스(Melvin Powers), 브라이언 트레이시(Brian Tracy), 클로드 C. 홉킨스(Claude C. Hopkins) 등 그들의 책과 세미나 테이프를 통해 공부했다.

당시 일본어로 번역된 책은 거의 없었기에 외국에서 책과 세미나 테이프가 도착하는 것이 너무나도 기다려졌다. 회사 일을 마치고 밤 12시에 집에 돌아오면 잠들기 전까지 책을 읽었다. 아침 6시에 일어나서 현관 밖으로 나오자마자 이어폰을 꽂고 출근길 내내 세미나 테이프를 들었다. 내게는 지금까지 배워본 적 없으며 '눈이 번쩍 뜨이는 방법'뿐이었다. 들을 때마다 실적을 올리는 방법들이 보이기 시작했다.

그러나 내게는 커다란 의문이 있었다. 그렇게 효과적이라면, 왜 일본에는 지금껏 이 방법을 이용한 사람이 아무도 없었을까? 당시 나는 대형광고 대리점과도 거래하고 있었는데 DRM에 대해 나만큼 지식을 갖춘 사람은 아무도 없었다. 저렇게 우수한 광고의 프로들이 DRM에 관심이 없다니… 일본에서는 성공하기 어렵기 때문일까? 오직 그것만이 불안했다.

불안하면 직접 해볼 수밖에 없다. 그러나 샐러리맨 신분으로 상품을 직판하는 것은 불가능했다. 그래서 회사에 다니며

유한회사를 설립했다. 일단 거래처의 재고 물품인 원적외선 히터를 팔기로 했다. 나는 워드프로세서로 직접 전단을 만들고 복사해서 추운 겨울밤 여기저기 돌리러 다녔다.

비참하게도 첫 시도는 실패했다. 그러나 그 후 또다시 기회가 찾아왔다. 회사에서 광고예산으로 연간 3천만 엔을 확보할 수 있었다. 난 그 예산을 전부 DRM 광고를 실험하는 데 쏟아부었다. 그러자 점점 일본에서 성공할 만한 것과 성공할 수 없는 것 등, 성공하기 위한 특성과 세밀한 차이와 요령이 보이기 시작했다.

한번 성공한 후에는 재미있을 만큼 고객이 줄을 이었다. 법인용 영업에서 소비자 영업, 재고품 처리에 이르기까지 나는 전부 DRM을 활용해서 매출을 올렸다. 물론 굉장히 바빠졌지만, 너무너무 즐거워서 견딜 수가 없었다.

그 결과, 2년이 지나기도 전에 연간 매상 8억 엔, 일본 기업과의 OEM을 통해 올린 매상까지 포함하면 연간 매상 13억 엔 규모로 성장할 수 있었다. 당시 사원 수는 아르바이트생을 포함하여 여섯 명뿐이었다. 나는 업적을 높이 평가받아 아시아권 MVE(최우수 사원)에 선출되었다.

당시 불황은 최악의 상태였다. 거래처의 사장들은 대부분 지금까지의 경영법이 먹혀들지 않아 고민하고 있었다. 그래서 나는 그들에게 '나의 성공법'을 가르쳐주었다. 그러자 나와 마찬가지로 그들도 점차 새로운 고객을 확보하는 게 아닌가. 너무 나 척척 성공을 거둬서 가르쳐준 나조차 놀랄 정도였다.

'이 노하우를 필요로 하는 중소기업이 많지 않을까?' 그렇게 확신한 나는 미국의 DRM을 일본식으로 응용해서 가르쳐주는 회원제 컨설팅 비즈니스를 시작했다. 이 기획은 예상 밖에 대성공을 거뒀다. 처음에는 생각지도 못한 업종의 상담이 줄을 잇는 바람에 솔직히 식은땀을 흘렸지만, 노력한 보람이 있는지 중소기업 경영자와 대기업 사업부장을 중심으로 성공 사례가 속출했다. 당시 2만 개 이상의 회사가 컨설팅을 받아서 내 비즈니스의 기둥이 되었다.

10

영어를 배우면 기회가 많아지는 이유 2

다이아몬드 원석은 곳곳에 있다

내 성공 비결은 마케팅 분야에서 일본보다 10~15년을 앞선 미국의 정보를 얻을 수 있었기에 가능했다. 물론 일본에 비슷한 지식이 없었던 것은 아니다. 다이렉트 리스폰스 마케팅(DRM)은 1946년, 미국의 〈리더스 다이제스트(Reader's Digest)〉 일본판 발간을 계기로 일본에도 도입되었다.

사실 〈리더스 다이제스트〉는 잡지 속 광고를 이용하여 독자층에 맞는 상품을 출판사가 직접 판매한 후 데이터를 통해 광고 효과를 과학적으로 검증하는 DRM을 실행하여 성장한 잡지다. 당시 〈리더스 다이제스트〉에서 일하던 일본인 사원은 미국인 상사에게 광고 효과를 최대화하는 방법을 철저하게 교육받았다고 한다.

그런데 〈리더스 다이제스트〉 일본판의 내용은 단순히 미국판의 번역이었기에 차츰 독자들의 외면을 받았다. 결국엔 판매

부진을 견디다 못해 1986년 2월호를 끝으로 폐간되었다. 그 후 〈리더스 다이제스트〉에서 마케팅 노하우를 배운 일본인 사원은 자신이 직접 통판 회사를 설립하고, 컨설턴트로 활약하며 일본 통판업계에 커다란 영향을 미쳤다.

다만 그 노하우의 원천은 일본에서 철수했기에 DRM이 널리 알려질 기회도 놓치게 되었다. 어떤 의미로는 통판 성장기였던 1980~1990년대의 일본에서는 1970년대의 지식만으로도 충분하고 남을 만큼 효과를 얻을 수 있었기에 새로운 노하우를 도입할 필요도 없었다. 한편 미국에서는 1980년대에 접어들면서 통신판매 회사가 유명 신문에 광고를 싣거나 TV 통신판매가 크게 유행하는 등 DRM 수법은 더욱 정밀도를 높여갔다.

앞에서 내가 말한 '교주'들은 대부분 광고기획사의 탑크리에이터이거나 직접 통신판매 회사를 경영했던 사람들이다. 그들은 젊은 나이에 막대한 부를 손에 넣고 은퇴했다. 그 후 사업을 하며 터득한 노하우를 아낌없이 제공하기 시작했다. 그들의 저서에는 많은 노하우가 응축되어 있다. 구체적인 데이터가 가득 담겨 있으며, 누구나 즉각 활용할 수 있을 만큼 훌륭한 수준이다.

그러나 일본에서는 미국의 방식이 통용되지 않는다는 고정관념 탓에 다이아몬드 원석은 대부분 주목받지 못한 채 방치되어 있었다. 그것을 주운 사람이 바로 나다. 사람들은 1억 엔짜리 복권에 당첨되기를 꿈

꾼다. 하지만 나로서는 이해가 되지 않는다. 왜냐, 복권에 당첨되는 것보다 훨씬 높은 확률로 1억 엔을 주울 기회가 여기저기 굴러다니고 있어서다.

"간다 씨가 운이 좋은 거예요. 내게 그런 기회가 있을 리 없어요."

당신은 그렇게 생각할지도 모른다. 하지만 자신의 가능성을 막아버리기 전에 내 이야기를 들어보기 바란다. 일본인이 잊고 있는 분야는 하나만이 아니다. 미국에는 새로운 비즈니스 아이디어가 여기저기 굴러다니고 있다. 그 증거로 나는 〈석세스 매거진〉이라는 한 권의 잡지를 통해 많은 힌트를 얻었다. 그것이 훌륭한 비즈니스로 탈바꿈하여 일본에서 꽃 피운 것이다.

11

영어를 배우면 기회가 많아지는 이유 2

신은 손을 드는 자에게 기회를 준다

그러면 어떻게 해야 해외의 정보로 비즈니스 기회를 발견할 수 있을까? 그 감각을 당신이 쉽게 파악할 수 있도록 또 다른 예를 들겠다. 〈석세스 매거진〉을 정기구독한 나는 몇 개월 후 우연히 서평란에서 《The Photoreading Whole Mind System(모든 의식 체계를 이용한 포토리딩)》이란 책을 살펴보게 되었다(이하 《포토리딩》).

'포토리딩'이란 명칭에 흥미를 느낀 나는 재빨리 내용을 확인했는데 '지금보다 몇 배나 빨리 책을 읽는 방법'이라고 적혀 있었다. 책을 1초에 한 페이지씩 넘기며 마치 사진을 찍듯 페이지 전체의 정보를 뇌에 받아들이는 방법이라는 것이다.

'사진 찍듯이 책을 읽는다고? 그건 초능력이잖아!' 처음엔 너무너무 수상했다. 원래 나는 의심이 많은 성격이다. 그러나 설령 사기라 해도 책을 사는 데 필요한 돈은 겨우 몇천 엔뿐,

부정하는 데에 에너지를 쏟는 것보다는 직접 확인해보는 편이 낫지 않을까. 그래서 《포토리딩》을 산 후 직접 실험해보았다. 확실히 조금 빨라진 듯했지만, 실감이 나지 않았다.

나는 '도저히 안 되겠다' 싶어서 단념했다. 그런데 몇 년 후 회원제 컨설팅 비즈니스가 궤도에 오르고, 경제적·시간적 여유가 생기자 또다시 《포토리딩》이 머릿속에 떠올랐다. 그게 정말 가능하다면 평생의 재산이 아닌가? 자꾸만 호기심이 생겼다. 결국 나는 미국으로 포토리딩 세미나를 수강하러 갔다.

마치 여우에 홀린 것 같았다. 지금껏 읽을 엄두도 못 냈던 원서를 수십 분 만에 이해할 수 있었다. 이건 굉장하다고 확신한 나는 이 방법을 일본에도 전파해야겠다고 직감했다. 그래서 포토리딩 교사가 될 수 있는지 문의한 결과, 나는 일본 최초의 공인 포토리딩 교사가 되었다.

포토리딩을 번역한 책은 일본에 출판되자마자 25만 부가 판매되는 베스트셀러를 기록하며 포토리딩 붐을 일으켰다. [국내 포토리딩 번역본으로 《당신도 지금보다 10배 빨리 책을 읽는다》 등 다양한 책들이 있다.]

당시에 포토리딩 수강생은 1년에 2천 명 이상이었으며, 비즈니스계는 물론 의사, 변호사 같은 전문가와 운동선수 등 각계에서 활약하는 사람들이 수강하는 인기 강좌가 되었다. 참고로 포토리딩은 전 세계에 20만 명 이상의 수강생을 거느린 세계 최대의 가속 학습법이다. 포토리딩을 개발한 러닝 스트레티지스(Learning Strategies)사는 미국 미네소타주에서 정식 교육기관으로 인정받고 있다.

나는 사업을 시작하기에 앞서 일본인들이 이 노하우의 존재를 얼마나 알고 있는지 알아보고자 러닝 스트레티지스사에 등록된 20만 명의 데이터베이스를 살펴보았다. 일본 국적의 고객을 검색하자 그 리스트가 나타났다. 과연 일본인은 몇 명쯤 있었을까? 3천 명? 너무 많다면 5백 명? 놀랍게도 20만 명이나 되는 고객 중에 일본인은 겨우 13명이었다.

게다가 리스트의 제일 위에 있는 사람, 즉 구매한 금액이 가장 많은 사람은 나였다. 더 경악한 것은 20년 동안 포토리딩 교사를 지망한 사람은 오직 나뿐이었다(당시 기준). 정말 운이 좋았다.

나도 모르게 '운이 좋았다'라는 말이 튀어나왔지만, 뭔가 이상하지 않은가? 다이렉트 리스폰스 마케팅과 포토리딩, 한 번도 아니고 두 번이나 그런 행운이 내게 찾아오다니 말이다. 그저 내가 운이 좋은 것뿐일까? 아니면 다른 사람도 나처럼 될 수 있는 것일까? 진실은 후자다.

사실 방치된 콘셉트와 상품은 이 둘 뿐만이 아니었다. '긍정의 자세(Affirmation Staition)', '높은 가능성을 파는 방법(High Probability Selling)', '대량 메일(Lumpy Mail)', '고급 상거래(Advanced

Marketing)', '가상 입체 사진법(Photographic Sculpture)' 등 무궁무진하다(설명은 생략하겠다). 다만 지금 예를 든 비즈니스는 전부 일본에서 아무도 손댄 적이 없다.

12

영어를 배우면 기회가 많아지는 이유 2

아무도 모르게 기회가 방치되는 이유

여기서 새로운 의문점이 발생한다. '왜 국제화된 일본에서 이런 비즈니스 기회가 오랜 세월 아무도 모른 채 방치되어 있을까?' 영어를 비즈니스에 활용할 수 있는 사람이 적어서일까? 그렇게 생각하는 사람도 많이 있겠지만, 그것은 이유의 절반에 불과하다.

실은 사각(死角)이 존재해서다. 눈앞에 있는데 아무에게도 보이지 않는다. 너무 당연해서 아무도 그것을 화제 삼지 않는다. 그러나 사각을 의식한 순간, 그것은 보이게 된다. 과연 그 사각에 존재하는 것은 무엇일까? 미국은 일본보다 먼저 '지가사회'로 이행했다는 사실이다.

지가사회(知價社會)란 제품이 가치 있었던 공업사회와는 다르게 '지식이 가치를 낳는 사회'이다. 전 세계가 '일본이 1위'라고 추켜세웠던 건 당시에는 일본이 공업사회의 탑이었다는 뜻이다. 그 후 시대의 흐름이 변하면서 미국은 지가사회로 이행했다. 반면 일본은 그 흐름에 뒤처졌으며, 공업사회 탑의 지위

마저 중국에 위협받고 있다. 결과적으로 일본의 경쟁력은 세계 1위에서 11위로 전락했다(2003년 10월 30일, 〈닛케이 신문〉 참고).

세상은 하드웨어에서 소프트웨어로 이행하고 있다는 말을 귀에 딱지가 앉을 만큼 들으면서도 사람들은 좀처럼 그에 걸맞은 행동을 취하지 못한다. 머리로는 이해해도 무의식 속에 프로그래밍 된 행동 패턴을 바꾸려면 시간이 걸리기 때문이다. 패러다임, 즉 '사고의 틀'이 변하지 않으면 행동도 변하지 않는다.

나 같은 창업자는 이런 지식과 행동의 괴리에 눈독을 들인다. **궁극적으로 비즈니스란 '인식'과 '행동'의 괴리를 해소하는 것이기 때문이다.** 일본인은 해외 정보를 자유롭게 접할 수 있는 상황에서도 과거의 패러다임에 사로잡혀 비즈니스 기회를 발견하지 못한다.

공업사회의 주역은 '눈에 보이고 손으로 만질 수 있는' 제품과 그 제품을 판매하는 유통업계다. 사람들은 경제 효율적으로 제품을 생산하는 대규모 메이커와 판매량을 다투는 유통망에 배울 점이 있다고 생각한다. 그런 패러다임의 관점에서 현재 미국은 조금도 재미있지 않다. 중국에서 더 싼 제품을 사들여 판매하는 편이 훨씬 전망 있어 보인다.

그러나 미국은 일본보다 앞선 지가사회로, '눈에 보이는 것보다 보

이지 않는 것'이 가치를 낳는 곳이다. 즉 상품 자체가 아닌 '상품 뒤에 숨어 있는 지혜'가 부를 낳는다. 그런 관점에서 타임머신이 착륙할 곳을 정하면 된다. 그럼 타임머신에서 내린 순간 다이아몬드 원석이 여기저기 굴러다니고 있음을 깨닫게 될 것이다.

미국이 일본보다 앞서 있는 분야로는 경영 관리, 마케팅, 코칭, 자기 계발, 능력 계발, 금융, 개인 자산 운용, 위기관리 등이 있다. 또 의료 서비스, 심리 상담, 각종 치유법, 스포츠를 기초로 한 정신 훈련, 노인 보호, 육아 보호, 반려동물, 다이어트, 피트니스, 미용, 영화, 연극 등 예를 들면 끝도 없다.

다양한 분야의 전문가들이 미국은 일본보다 10~15년 이상 앞서 있다고 말한다. 대부분 앞으로 일본에서 성장할 만한 분야다. 이처럼 앞서 있는 분야의 정보를 집중적으로 모으면 일본에 필요할 것 같은 콘셉트가 수없이 보이기 시작할 것이다. 게다가 지가사회의 주역은 초소형 기업(Micro Company)이다.

즉 연간 매상 10억 엔 이하의 소규모 회사다. 마음만 먹으면 거래는 눈 깜짝할 사이에 진행된다. **거듭해서 말하지만, 비즈니스 경험과 아주 약간의 영어 실력을 지닌 사람에게는 굉장히 즐겁고 가슴 설레는 세상이 눈앞에 펼쳐져 있다.**

13

영어를 배우면 기회가 많아지는 이유 3

억만장자는 '시대의 흐름'을 읽는다 일본은 10년간 어떻게 변화할까?

일본의 고액 납세자 1만 2천 명에게 성공 비결에 대한 앙케트를 실시했다. 그들은 한결같이 '시대의 흐름을 읽고 준비하는 것'이라고 말했다. 연간 수입 1천만 엔 이하의 사람들은 투자 후에 한 달 이내 수익을 기대하는 경우가 많다. 반면 억만장자들은 1~5년, 길게는 10년 정도 장기적인 시야로 자금을 운용한다. 또 사업 면에서도 시대의 흐름을 읽고 5~10년 후 필요한 기술을 파악하여 당장은 수입이 줄더라도 '시간을 투자하여' 배운다는 것이다.

그렇다면 10년 후 일본은 어떻게 될까? 10년 후에는 어떤 기술이 필요할까? 물론 정확한 답은 없다. 다만 내가 어떻게 '시대의 흐름'을 읽고 경영자인 고객들에게 조언했는지 이야기하겠다. 이 문제 역시 같은 결론에 도달한다. **아직 영어를 포기하지 말라는 것이다.** 절대로 나는 쓸데없는 짓을 권하고 싶지 않다.

나는 내가 직접 해보고 이해할 수 없는 것은 설령 내 과거가 부정당해도 쓸모없다고 솔직히 말한다. 그런 점에서 내가 취득한 경영학 석사(MBA)도 창업자들에게는 추천하지 않는다. MBA 대기업 간부로 활약하고 싶은 사람이나, 창업가 중에 신규 주식공개(IPO)를 하여 회사를 어느 정도 이상의 규모로 만들고 싶은 사람에게는 상당한 도움이 된다.

단 창업을 준비하는 사람에게 MBA는 별로 중요하지 않다. 왜냐, MBA에서는 사업 계획을 짜거나 경영관리하는 방법은 배울 수 있어도 신규 사업을 시작하는 데에 가장 중요한 '고객을 획득하는 지식'은 별로 중요하게 여기지 않는다. 이런 MBA와 마찬가지로 영어 따윈 필요 없다고 가볍게 말하고 싶다. 하지만 유감스럽게도 그럴 수가 없다.

만약 내가 기억상실증에 걸려서 딱 두 가지만 떠올릴 수 있다면 난 무엇을 선택할까? '다이렉트 리스폰스 마케팅'과 '영어'다. 이 두 가지만 있으면 **아무것도 없는 상태에서도 수입과 수입을 얻게 해 줄 발상의 원천을 확보할 수 있다**고 믿기 때문이다.

"그럼 영어를 배우면 돈을 벌 수 있나요?"

그렇게 기대하는 사람도 있을 것이다. 솔직하게 말하겠다.

영어는 평범하게 공부해봤자 돈을 벌 수 없다.

억만장자들에게 '당신은 영어를 할 수 있냐'고 물으면 대부분 못한다고 대답할 것이다. 일본의 부호 순위에서 매년 실질적인 1위를 차지하는 사이토 히토리(Saito Hitori)조차 자신의 저서에서 영어는 필요 없다고 말했다. [사이토 히토리의 국내 번역본으로 《1퍼센트 부자의 법칙》 등이 있다.] 그들이 무슨 말을 하고 싶은지 잘 안다. 나 역시 '영어를 공부해야 하나요?'라고 상담받으면 표정이 어두워지곤 한다.

30세가 넘은 후에는 다른 것을 희생하면서까지 몇 년 동안 필사적으로 영어를 공부하는 것보다 더욱 중요한 일이 있기 때문이다. 영어를 배우기만 하면 세상이 넓어질 거라는 생각은 안일한 현실도피다. 거짓말은 하고 싶지 않으니 솔직하게 말하겠다. 영어는 필수품이 아니다. 그러니까 모두가 영어를 배울 필요는 없다. 하지만 그래도 독자들에게 이렇게 말하고 싶다. 영어로 비즈니스를 하는 것은 즐겁다고.

억만장자는 시대의 흐름을 읽고 그에 필요한 준비를 한다. 나는 앞으로 찾아올 시대에는 영어를 이용하여 외국과 거부감 없이 비즈니스를 하는 사람에게 역사적인 무대가 열릴 것으로 생각한다. 영어를 할 수 있는 사람은 지구를 구한다. 허풍처럼 들릴지도 모르겠지만, 그런 시대가 코앞으로 다가왔다.

14

영어를 배우면 기회가 많아지는 이유 3

생존을 건 미래의 선택

앞으로 10년 동안 시대는 어떻게 변화할까? 지금부터 내 나름대로 대담한 예측을 해보겠다. 결론부터 말하면 일본경제는 2008년까지 정체되었다가 그 후 서서히 회복된다. 단 회복 기간은 매우 짧다. 근본적인 대책을 세우지 않으면 2015년 이후 일본은 장기적인 쇠퇴 경향을 보일 것이다.[간다 마사노리가 일본 원서를 출간한 '2004년 기준'인 점을 참작하길 바란다.]

세계적으로 보면 미국적 주주 지상 자본주의와 세계화(Globalization)의 모순이 노출되어 둘 다 2013~2015년까지 큰 조정 국면을 맞는다. 세계적인 규모로 우리의 예상을 초월하는 사건이 벌어지며 사회적·경제적인 파괴와 가치관·종교관의 혼란이 발생할 것이다. 단 지금 우리가 적절한 선택을 하고, 각 개인이 그 선택을 실행에 옮기면 혼란을 극복하고 2033년 이후 새로운 시대로 나아갈 수 있다.

한마디로 말하자면 이거다.

"새로운 시대로 나아가겠는가? 아니면 쇠퇴를 맞이하겠는가?"

우리는 그 커다란 전환기에 있다. 그리고 선택하는 것은 '우리 자신'이다.

내가 이런 시대의 흐름을 읽게 된 바탕에는 두 가지 설의 영향이 크다. 해리 S. 덴트(Harry S. Dent)의 '인구 동태에 의한 경제예측이론'과 오오타케 신이치(Ootake Shinichi)의 '70년 주기설'이다. 둘 다 굉장히 흥미로운 설이기에 간단히 설명하겠다. 참고로 '일본의 경기가 2008년부터 서서히 회복될 것'이라는 생각은 인구 추이를 보고 내린 결론이다.

미국의 경제학자인 해리 S. 덴트는 각국의 인구 추이가 경기(景氣)에 결정적인 영향을 미친다고 주장했다. 이미 덴트는 1993년 미국 전체가 비관에 빠졌을 때 1990년대 후반 미국의 번영을 정확하게 예언했다. 구체적으로는 1993년 3,560만 달러의 다우존스 평균주가가 2007년 안에 8,500달러로 올라갈 것을 예상했다. 실제로 다우존스 평균주가는 1998년 3월에 8,500달러를 넘었다.

일본에 대한 예상도 적중했다. 그가 1993년에 집필한 책에는 닛케이 지수가 1996년부터 1998년 사이에 10,000~14,000엔의 최저 시세를 기록한다고 예측되어 있다.

참고로 1993년 8월 시점에 닛케이 지수는 21,000엔이었으며 1998년 9월에는 그의 예측대로 14,000엔을 기록했다.

우연이라고 가볍게 생각하는 사람도 있을 것이다. 그러나 이 예측은 굉장하다. 당시 미국 경제는 '쌍둥이 적자'로 참담하기 그지없었다. 당시 일본이 쇠퇴하고 미국이 부활한다는 말을 했다가는 정신병자 취급을 받을 정도였다. 그러나 10년이 지난 지금 되돌아보면 그의 예측은 대부분 적중했다.

덴트의 예측법은 그야말로 '콜럼버스의 달걀'이다. 그는 46세 인구의 증감에 의해 경기가 결정된다고 생각했다. 어째서 46세인가. 미국에서는 46세에 소비지출이 절정에 달하기 때문이다. 따라서 46세 인구가 많으면 경기는 필연적으로 상향한다는 것이 그의 생각이었다. 허탈할 만큼 단순한 이유다. 그러나 결과는 강력하다.

실제로 무디스, 피치와 함께 세계 3대 국제신용평가기관으로 불리는 스탠더드 앤드 푸어스는 1947~1949년 전의 미국의 출생 인구와 1955년 이후 미국 S&P500 주가지수의 상관관계를 비교 분석했다. 그 결과 '주가는 46세 인구의 증감과 관련되어 있다'라는 사실을 알아냈다.

미국에서는 다른 세대보다 많은 베이비붐 세대의 47~49세 인구가 2007년 절정에 달한다. 그 동향을 전제로 덴트는 2007년 안에 다우존스 평균주가가 8,500달러까지 올라갈 것을 예상했다. 인구 추이가 경기변동에 영향을 미친다는 것은 이미 상식이었지만, 소비가 절정에 달하는 46세라는 나이에 착안하여 이 인구의 증감이 주가와 연동한다는 발상은 매우 획기적이었다.

그렇다면 덴트의 이론을 일본에 적용하면 어떻게 될까? 일본의 인구가 급격히 늘어난 것은 1947년~1949년에 태어난 베이비붐 세대로, 무려 800만 명이나 된다(일본 후생노동성 자료 참고). 이 세대가 소비 절정을 맞는 것은 1994년~1996년이다. 그의 이론에 따르면 이때 주가가 절정에 달해야 한다.

"일본의 거품경제는 1992년에 붕괴했으니까 일본에는 맞지 않잖아!"

그렇게 부정할 수도 있다. 물론 거품경제는 붕괴했지만 지금 생각해보면 경기가 안 좋다고 엄살을 피운 것에 비해 닛케이 지수 평균은 1994년~1996년까지 15,000~20,000엔을 유지했다. 현재 주가인 11,000엔을 생각하면 부러운 수준이다.

그 후의 주가 하락을 살펴보면 인구 피라미드의 내리막 성향을 확실하게 더듬어가고 있다. 흥미로운 것은 다른 선진국에 비해 일본은 이 세대의 인구가 너무나도 돌출되어 있다는 점이다. 따라서 일본 경기의 절정은 몇 년밖에 유지되지 않을 것을 사전에 예측할 수 있다.

이 이론을 알았더라면 일본의 거품경제에 현혹되어 피해를 입은 사람이 얼마나 줄었을까. 거품경제 붕괴 당시에는 누구나 불황은 몇 년 안에 회복된다고 말했다. 그렇게 생각해보면 몇 년의 차이는 있을지 몰라도 덴트의 예측법은 장기적인 동향을 읽는 데에 매우 유효하다는 사실을 알 수 있다.

이 '인구동태 이론'은 앞으로 어떤 시대가 찾아올지 예측하는 데에도 참고가 된다. 덴트의 예측에 의하면 일본 경기가 본격적인 회복에 들어서는 것은 제2차 베이비붐 세대가 소비 절정을 맞는 2008년부터다.

"아, 정말로 다행이다. 일본도 또다시 본격적으로 번영할 수 있겠구나."

그렇게 안심하기에는 아직 이르다. 유감스럽게도 그건 일시적인 현상에 불과하다. 소비 절정에 달한 2020년 후에는 걷잡을 수 없이 하강할 것이다. 알다시피 일본은 독일과 함께 출산율 저조 현상이 세계에서 가장 심각한 국가다.

선진국 중에서 고령사회도 가장 빨리 찾아온다. 일찍이 어떤 나라도 경험한 적 없는 사태에 돌입하는 것이다. 비관적인 얘기로 겁을 주고 싶지는 않다. 하지만 현실에서 눈을 돌려서는 안 된다. 장기적으로 경제를 활성화하기 위해서는 인구를 늘리면 된다. 그러나 결혼 기피 현상이 줄어들 것이라고 보기는 어렵다. 이민을 대량으로 받아들이는 등 근본적인 해결책을 취하지 않으면 일본 경제는 유지될 수 없다.

피터 드러커(Peter Drucker)는 《넥스트 소사이어티(Next Society)》에서 "일본은 앞으로 50년 동안 최소한 35만 명 이상의 이민을 받아들이지 않으면 국력을 유지할 수 없다"라고 지적했다. 일본은 대체 어떻게 하면 좋을까. 덴트의 예측법을 통해 시대의 흐름을 읽는 열쇠는 인구 통계라는 매우 가까운 곳에 있음을 알았을 것이다.

당신이 기억해야 할 것은 신문의 경제란이나 주식란을 아무리 읽어봤자 시대의 흐름을 읽을 수는 없다는 사실이다. 해마다 홍수처럼 쏟아지는 경제 뉴스. 그 정보를 접하고 있으면 왠지 경제에 대해 알 것 같은 기분이 들지만, 그러면 오히려 큰 흐름을 놓치게 된다. 억만장자는 이처럼 단기적인 흐름에 현혹되지 않고, 장기적인 흐름에 대처하는 법이다.

15

영어를 배우면 기회가 많아지는 이유 3

역사는 70년 주기로 되풀이된다

이번에는 세계가 어떤 흐름 속에 있는지 살펴보도록 하자. 이 흐름을 알아두면 이제부터 10년 동안 어떤 목표를 갖고 살아가야 하며, 어떤 기술을 익혀야 하는지 더욱 명확해진다. 세상은 70년 주기로 움직인다는 설이 있다. 이것은 월스트리트에서 해마다 4위 안에 드는 실적을 올리는 펀드 매니저 오오타케 신이치에게 배운 것이다.

그는 매일 1,000억 엔 이상의 펀드를 운용하는데 그의 경제 예측은 뛰어난 적중률을 자랑한다. 그가 예측한 닛케이 평균지수 10,000엔 돌파와 105엔이 넘는 엔고 현상은 멋지게 적중했다. 예측이 빗나가면 "전 미국에 있잖아요"라고 웃으며 말하곤 하는데 그만큼 몸을 던져 투자하고 있다는 뜻이다.

물론 이론만으로는 계속 좋은 결과를 얻을 수 없다. 그는 '재고순환'과 '자금의 흐름'을 중시한다. 또 전 세계의 회사 경영

진을 만나러 가거나 공장을 시찰하기도 한다. 피부감각과 신체 감각으로 위험 부담을 파악하는 것이다. 놀라운 것은 보통 아무도 예측할 수 없는 사실을 정확하게 예측하는 오오타케 신이치의 능력이다.

그는 2000년 4월 IT 거품 붕괴와 2001년 9월 11일의 동시다발적인 테러를 예측했다. 그 누구도 생각지 못한 시점에서 사전에 펀드의 포트폴리오를 구성했다. 전쟁의 기운이 전혀 감돌지 않았던 시기에 군사 관련 주식을 주목했을 때는 오오타케 신이치도 머리가 이상해졌나보다고 생각했을 정도다. 그러나 세상은 오오타케 신이치의 말대로 움직였다. 놀라운 일이다. 그 예측의 한 지표로서 그가 가르쳐준 것이 바로 '70년 주기설'이다.

오오타케 신이치는 어떻게 911테러를 예측하고 3개월 전 상당량의 주식을 매각할 수 있었던 것일까? 하나의 지표는 70년 전의 역사를 살펴보는 것이라고 한다. 1931년 9월 18일에는 류타오거우 사건을 발단으로 만주사변이 일어났다. 한쪽은 빌딩 파괴, 또 한쪽은 철도 폭파. 게다가 시기는 일주일밖에 차이가 나지 않는다.

2000년 IT 거품 붕괴의 경우, 약 70년 전을 돌아보면 하룻밤 사이에 주가가 7퍼센트나 하락한 '검은 목요일(Black Thursday)'이 일어났다(1929년 10월 24일 월스트리트 주식시장이 붕괴했고, 10월

28일에는 런던 주식시장이 하락하며 세계 대공황이 시작되었다). 심지어 그는 폭락의 방아쇠를 당길 인물도 예측했다. 20년대 거품 시세를 주도한 인물은 중개인 마이클 미한(Mkihael Meehan), 90년대 후반 IT 거품 시세를 주도한 인물은 모건 스탠리의 메리 미커(Mary G. Meeker)이다. 두 이름을 주목하기를 바란다. 'Meehan'과 'Meeker'. 거의 H와 K밖에 차이가 없다. 이 사실을 알고 나는 소름이 끼쳤다. 역사는 되풀이된다고 하지만 이렇게까지 되풀이될 줄이야!

오오타케 신이치는 저서에서 "말장난 같지만, 이런 숨은 부호와 지나친 일치란 무섭다"라고 말했다(〈High-tech Bubble and Low-tech Investment〉 중에서). 한순간의 판단 실수가 수십억 엔의 손실을 낳기에 모든 정보를 종합해서 판단해야 하는 그만의 탁월한 식견이다.

그렇다면 '70년 주기설'의 근거는 무엇일까? 오오타케 신이치의 말에 따르면 70년 주기설은 요즘 시대, 특히 일본에 맞춘 것으로 상황에 따라서는 60년일 때도 있다고 한다. 나는 한 세대는 15년 단위로 나뉘기에 그것이 순환하는 것은 60년으로 잡는 게 맞다고 생각했다. 하지만 60년 주기를 오늘날과 대조하면 아무래도 시대의 흐름을 제대로 설명할 수 없다. 따라서 70년 주기는 '요즘 시대와 매우 잘 맞는다'라는 것을 전제로 계속 이야기하겠다.

이 70년 주기를 2차대전 후 일본에 맞춰보면 시대의 흐름을 읽기가 무척 수월해진다. 직감적으로 이해할 수 있도록 70년을 4개의 계절에 비유하겠다. 그러면 지금까지 시대가 어떻게 변해왔는지 보이게 될 것이다.

■ 겨울의 시대(1945~1962년)

2차대전 직후의 일본 상황을 계절로 비유하면 겨울이다. 겨울은 한 주기의 끝이자 새로운 주기의 시작이다. 겨울은 씨앗을 뿌리는 시기이지만 싹은 좀처럼 나지 않는다. 또 모든 씨앗에서 싹이 나는 것도 아니다.

일본은 군사국가가 종결되고 민주주의 국가로 거듭났다. 시행착오의 시기이자 투자가 필요하므로 이익은 거의 남지 않는다. 이 시기는 이상주의자이자 강한 의지를 지닌 '창업자'가 활약한 시대다. 세상에 대한 탐구심이 가장 높은 나이는 30대(정확히는 28~35세로 아돌프 슈타이너의 '인생 7년 주기설'을 바탕으로 설정함)로, 2차대전 후 이 나이를 맞이한 인물들이 겨울의 시대 혁신의 원동력이 되었다.

세대로 따지자면 주로 다이쇼(1912년~1926년), 전쟁 전 세대다. 이 세대의 경영자는 마츠시타 코우노스케(Matsushita Kousuke), 이부카 마사루(Ibuka Masaru), 모리타 아키오(Morita Akio), 혼다

소이치로(Honda Soichiro) 등이 있다. 모두 일본의 지위를 세계 일류 국가로 끌어올린 영웅들이다.

■ 봄의 시대(1963~1979년)

겨울의 시대에 시행착오를 거친 일본의 제작 기술이 세계에서 높게 평가받기 시작한다. 1964년 도쿄 올림픽과 신칸센 개통은 일본의 경제가 봄의 시대, 즉 성장기에 들어섰음을 알리는 신호탄이었다. 경제적으로는 지금까지의 투자 활동에 대한 수확을 얻기 시작하는 시기다.

이 시기의 원동력은 이상주의자의 의지를 이어받은 '실무자' 유형으로, 경영과 유통 체제를 정비하는 실무능력을 지닌 인물들이 활약했다. 봄의 시대에 30대를 맞이한 사람은 주로 쇼와 시대(1926~1945년) 초기에 태어난 세대다. 이 세대의 경영자들은 놀라운 혁신력을 지녔는데, 소니의 오가 노리오(Ohga Norio), 세븐일레븐의 스즈키 토시후미(Suzuki Toshifumi) 등 창업자의 사상을 이어받아 기업을 발전시킨 인물들이 눈에 띈다.

■ 여름의 시대(1980~1998년)

여름은 내버려둬도 쑥쑥 성장하는 시기다. 기업은 생산한 제품을 판매하면 이익을 얻는다. '팔고, 팔고, 또 팔아라!'가 키워드로, 일본 기업이 해외에서 시장점유율을 확장하고, 일본 위협론이 제기

되었다. 이 시기의 중반, 즉 1989년 말 닛케이 지수는 최고조에 달했다.

이 시기의 원동력이 되는 인물은 지혜로운 '관리자' 유형이다. 만들기만 하면 팔리는 상황이므로, 그것을 전략적으로 관리해 나갈 두뇌가 필요한 시기다. 사내에서는 영업이나 판매보다는 재무와 전략, 브랜드 구축이 중시된다. 대표적인 인물을 꼽자면 오마에 켄이치(Ohmae Kenichi), 이토이 시게사토(Itoi Shigesato) 등으로, 이들은 천재적인 분석력과 감성으로 시대를 이끌었다.

■ 가을의 시대(1998~2014년)

가을은 지금까지 키워온 것들을 수확하는 시기다. 그러나 열매를 맺은 것도 있지만 말라버린 것도 있기 마련, 말라버린 것은 도태되어 간다. 경제로 말하자면 양극화가 급속도로 진행된다. 도산 건수가 2차대전 이래 최대를 맞는 한편, 최고 이익을 얻은 기업 수도 최대를 기록했다.

이 시기는 70년 주기의 총결산이다. 급성장 속에 가려져 있던 문제점들이 차츰 표면화된다. 은행의 불량 채권 문제와 일본 기업의 비효율적인 조직 체제 등 경제적인 문제를 비롯하여 폭넓게 보면 빈부의 격차 확대에 의한 테러리즘, 반(反)세계화주의 운동이 있었다.

신인류, 포스트 신인류라 불리는 세대를 중심으로 1958년~1970년생들이 이 시기를 특징짓는다. 그들의 개성(Personality)을 한마디로 규정하는 것은 어렵지만, 지금까지의 주기를 종합하는 의미에서 '통합자'라고도 할 수 있다.

그들의 행동은 개성적이면서도 체제 순응적이다. 대기업에 대한 환상이 무너지고, 독립 창업자의 가치가 재평가되기 시작하지만, 대부분의 사람들은 주위에 동조하여 불안을 품으면서도 대기업에서 일한다. 단 이 혼란의 시기에 한발 앞서 시대의 동향을 읽고 기회를 잡으면 막대한 부를 얻을 수 있다.

소프트뱅크의 손 마사요시(Son Masayoshi, 손정의), 굿윌의 오리구치 마사히로(Origuchi Masahiro), 라쿠텐의 미키타니 히로시(Mikitani Hirosh) 등이 이 시대를 상징하는 인물이다.

이렇게 구분하여 시대를 읽어나가면 '어떻게 기술혁신이 일어났고 경제가 성장했는지' 그 근원을 알 수 있다. 또 인간의 움직임을 파악하면 시대를 예측할 수 있다. 2차대전 후, 일본을 70년 주기로 되돌아보면 무엇을 알 수 있을까? 일본은 1992년 거품경제 붕괴 이후 불황이 계속되었다고 알려져 있다.

하지만 불황이라고 생각했던 1997년까지는 2차대전 이후의 고도성장기라는 주기에 맞춰보면 실제로는 '여름'의 끝에 불과하다는 점이다. 본격적인 조정 시기는 1998년 가을부터 시작된 것이다. 가을은 지금까지의 가치관을 뿌리째 뒤엎는 '파괴와 창조'의 시대로, 과거 70년간에 대한 대전환기를 의미한다(가을은 2014년까지다).

따라서 이 혼란은 앞으로 10년은 이어질 것으로 예측한다. 물론 정부와 매스컴은 경기 회복을 선언하지만, 70년이라는 긴 주기로 생각해보면 그것은 어디까지나 단기적인 작은 물결 정도다. 게다가 앞으로 10년만 지나면 경기가 상향되고 모두가 행복해지는 건 아니다.

겨우 '가을'이 끝나면 이번에는 방향을 모색하여 시행착오를 거듭하는 '겨울'이 찾아올 것이다. 또 겨울이 끝나고 드디어 '봄'이 찾아오는 건 2033년, 즉 앞으로 30년 가까이 끝이 보이지 않는 혼란이 계속된다. 이것이 내가 시대의 큰 흐름을 읽고 내린 결론이다.

"가을조차 이 모양이면 겨울에는 더욱 비참해지나요?"

이런 의문을 품을 수도 있다. 내 대답은 '아니, 그렇지는 않다'이다. 2015년 이후 찾아올 '겨울'은 새로운 주기의 시작이다. 즉 최악의 혼란기는 이미 지나간 후다. 단 새로운 주기의 시작 여부는 우리의 선택에 달려 있다. 이대로 아무런 노력도 하지 않고 2015년 이후 계속 쇠퇴할 수도 있고, 한 사람 한 사람이 일어서서 '봄'을 맞을 수도 있다.

"선택할 수 있다고 해봤자 뭘 어쩌란 말입니까. 어떻게 될 가능성이 높은 겁니까?"

좋은 질문이다. 시대를 읽으면 답이 보인다. 역사는 되풀이

되기 때문이다. 여기서 다시 한번 70년 주기로 돌아가 보자. 그곳에 힌트가 있으니까 말이다.

2004년을 기준으로 70년 전은 1934년이다. 당시에는 쇼와 대공황(1930년), 국제연맹 탈퇴(1933년), 2·26 사건(1936년), 그리고 2차 세계대전(1939년)이 있었다. 10년에 걸쳐 제국주의에서 민주주의로 대전환이 이루어진 시기다. 다시 70년을 거슬러 올라가면 1864년이다. 당시에는 사츠에이 전쟁(1863년), 막부의 초슈 정벌(1863년), 삿초 동맹(1866년), 대정봉환(1867년)이 있었다. 이 시기에도 10년에 걸쳐 전통사회에서 근대사회로 전환이 이루어졌다.

두 주기 다 지금까지의 사회 체제가 근본적으로 무너지고 당시의 상식과 가치관에 정반대되는 사건과 예측할 수 없는 일들이 일어났다. 이렇게 70년 주기를 전제 삼아 생각해보면, 이제부터 10년 동안 더욱 극심한 사회적·정신적·신체적 변화가 일어날 수 있다.

물론 현재의 우리도 이미 큰 변화를 경험했다. 알카에다의 911 테러, 북한의 핵 문제, 광우병, 사스(SARS), 조류 인플루엔자(AI) 등 황당한 일들을 많이 겪었다. 아마 1990년대 사람들에게 2000년대는 테러의 시대이며, 영문을 알 수 없는 병이 만연할 거라고 말했다가는 미친 사람 취급을 받을 것이다.

우리는 그만큼 큰 변화를 겪었다. 그러나 극복할 수 없는 변화는 아니다. 그 증거로 이미 많은 변화를 극복하지 않았는가? 앞으로도 변화를 두려워해서는 안 된다. 수수께끼 게임이라고 생각하며 변화를 즐겨라. 수수께끼를 풀고 적절한 결단을 내리면 반드시 훌륭한 선물이 주어진다. 그것이 세상의 규칙이다.

서퍼(Surfer)가 눈앞의 작은 파도에 정신을 빼앗겼다가는 바다에 빠져버린다. 즉 작은 파도를 즐기면서 좀 더 앞에 있는 커다란 파도에 대비해야 하는 법이다.

왜 역사는 되풀이되는가?

시대를 '70년의 주기'로 돌아보면, 어떻게 기술혁신이 일어나고 경제가 움직였는지 알 수 있다. 기술혁신도, 경제도 결국 인간이 만들어간다.

봄, 여름, 가을, 겨울 각 시대는 탐구 에너지가 가장 강한 연령층에 의해 주도된다(주로 20대 후반에서 30대까지). 그 시대에 꼭 높은 평가를 받는 건 아니지만, 그 연령층이 실행한 개혁은 다음 시대의 초석이 된다.

70년 사이클로 활약하는 세대를 계절별로 정리하면 '이상주의자, 실무자, 관리자, 통합자'라고 할 수 있다. 겨울에 이상을 세우고, 봄에 탐구하고, 여름에 창조 · 번영하고, 가을에 파괴 · 통합하는 순서로 주기는 이행된다.

경제는 가을에 한 주기의 총결산을 맞는다. 남은 길은 지금까지의 유산으로 연명할 수 있을 때까지 차츰 쇠퇴하거나 다시 혁신을 일으켜 새로운 주기를 시작하거나 둘 중 하나다.

이상의 추이가 70년간의 경제 주기 형태를 만들고 있다. 이것은 심리학에 있어 인간의 성장주기와 같은 패턴이다.

16

수많은 영웅이 나타날 시기가 다가왔다

당신이 깨달아야 할 것은 2015년부터 새로운 주기가 시작될 수도 있다는 사실이다. 역사를 돌아보면 그 시기에 활약한 인물들은 근대 국가를 형성한 메이지 유신 지사들과 2차 대전 후 일본에 기적적인 부흥을 일으킨 쇼와 시대의 창업자들이다. 이처럼 수많은 영웅이 나타날 시대가 10년 앞으로 다가와 있다.

대체 누가 영웅들일까? 역산하면 알 수 있는데 바로 '베이비붐 세대의 아이들'이다. 넓은 범위로 정의하면 1971년부터 1980년에 태어난 1,400만 명의 세대다(일반적으로 베이비붐 세대의 아이들은 1971년~1794년에 태어난 아이들을 말하지만, 양친 모두 베이비붐 세대는 1973~1980에 태어난 아이들이다.). 전쟁을 체험하지 않은 부모에게서 태어난 세대가 물질과 정신을 통합하는 새로운 시대를 만들어낼 힘을 지니고 있다.

나는 이 1,400만 명 가운데 이상을 내걸고 행동하는 사람이 나타날 것이라고 예상한다. 이런 예상은 내 경험을 통해서도 알 수 있다. 나는 지금까지 경영자를 중심으로 2만 명 이상의 고객에게 마케팅과 매니지먼트 정보를 제공했다. 그런데 놀랍게도 열심히 공부하는 고객 중에는 고등학생, 대학생, 20대 샐러리맨들이 상당수 포함되어 있었다.

즉 '컴퓨터 게임에 푹 빠진 자신밖에 모르는 세대'라는 세간의 견해와는 다르게 혀를 내두를 만큼 열심히 공부하는 '젊은 천재'들이었다. 이렇듯 1,400만 명 중에서 마치 이질적인 원소처럼 큰 뜻을 품은 인물이 나타나 새로운 가치관과 삶의 방식을 뿌리내릴 것이다. 역사적인 주기를 전제로 보면 그렇게 예측할 수 있다. 혼란은 여전히 계속되겠지만, 가까스로 다음 입구가 멀리서 희미하게 보이기 시작했다.

우리는 역사의 전환점에 있다. 역사를 만드는 것은 다름 아닌 '우리들'이라는 사실을 자각해야 할 때가 온 것이다. 일본의 장래는 밝다. 가슴이 설레지 않는가!

17

세계라는 무대로 나아가라

그렇다면 새로운 시대 인식을 기반으로 어떤 준비를 해야 할까? 나는 후쿠자와 유키치(Fukuzawa Yukichi)에게 배우고 싶다. 왜 그의 얼굴이 1만 엔권에 새겨졌는지 그 의미를 되새겨보자. 대부분 후쿠자와를 근대 일본이 나아갈 방향성을 제시한 '이상가'로 인식한다. 이것은 그의 실상을 반밖에 보지 못한 처사다. **후쿠자와 유키치는 자신의 사상을 실천한 '창업자'였다.**

그는 출판업을 시작하여 자신의 저서를 스스로 판매했으며, 서양 서적을 수입하기 위해 마루젠 서점을 창업했다. 그 외에 요코하마 세이킨 은행 개업, 미츠비시와 미츠이의 고문, 〈시사신보〉 창간, 게이오기주쿠대학 설립 등 다양한 투자 활동을 벌였다. **즉 후쿠자와 유키치는 교육자였을 뿐만 아니라 창업자, 경영자, 그리고 투자가이기도 했다.**

사실 후쿠자와는 하급 무사 출신이었지만, 외국어를 배운

덕에 서양으로 갈 수 있었다. 그가 영어를 공부한 지 불과 1년 후의 일이다. 그는 서양의 지식을 일본으로 들여왔는데 《서양사정》, 《학문의 권유》 등 자신의 저서를 통해 근대 서양과 일본식 자본주의가 융합할 수 있는 길을 제시했다. 쇄국 시대에 타임머신 '간린마루(Kanrin Maru, 일본 최초의 군함)'를 타고 미래의 정보를 가져온 것이다.

또한, 후쿠자와는 천부적인 자질을 지닌 경영자였다. 도쿄의 부호 4,289명을 실은 《영예도감》에 321번째로 이름이 오를 만큼 경제적으로도 유복해졌다. 그 재력으로 게이오기주쿠대학을 설립한 것이다(일본 최초의 사립종합대학인 게이오대학으로 발전했다.).

앞에서 말했듯이 헤이세이 시대에는 정보가 흘러넘치는 탓에 오히려 실질적으로는 쇄국 상태에 빠져 있다. 정말로 도움이 되는 정보는 들어오지 않는다. 그런 의미에서 우리는 지금도 140년 전을 통해 배움을 얻을 수 있다. 부디 1만 엔 지폐를 쓸 때마다 후쿠자와 유키치라는 이름을 떠올리기를 바란다.

잊지 말라.

"배움으로 부를 얻고, 부로 배운다."

물론 지금이 메이지 시대처럼 단순히 서양에 배울 만한 모델이 있는 것은 아니다. 그러나 발상이란 이질적인 것을 서로 연결하면서 탄생한다. 미국과 일본은 문화적·언어적으로 극과

극인 나라다. 그렇기에 미국의 지혜를 일본에 도입하여 활용할 수 있는 사람은 발상의 폭이 크게 넓어져서 성공하는 경우가 많다.

일본인으로서 행복하게 살기 위해서는 일본어만 할 줄 알아도 된다. 아니, 솔직히 말해서 취미로 영어를 배우고 있다면 단순한 시간 낭비일지도 모른다. 그러나 이 시대의 중요성을 생각해보면 영어를 활용할 수 있는 인재가 압도적으로 적다. 특히 앞으로 지가사회의 주역이 될 초미니 기업에는 영어로 정보를 흡수할 수 있는 사람도, 영어로 정보를 발신할 수 있는 사람도 얼마 없다. 지나치게 적다. 이래서야 일본이 아무리 훌륭한 일을 해도 세계에 전해지지 않는다.

'비즈니스 경험'과 '약간의 영어 실력'을 지닌 사람에게는 상상 이상의 일이 기다리고 있다. 70년 전, 140년 전과 같은 커다란 무대가 준비된 것이다.

지금까지 내가 한 이야기를 정리하면 다음과 같다.

첫째, 현재 일본은 쇄국 상태다.

둘째, 타임머신을 타면 비즈니스 기회를 잡을 수 있다.

셋째, 앞으로 10년간 시대는 어떻게 변할까.

이 3가지를 염두에 둔다면 영어를 할 수 있는 사람의 무대는 터무니없이 넓어질 것이다.

무거운 얘기를 계속했지만, 그렇다고 무겁게 생각할 필요는 없다. 한마디로 나는 영어를 활용해서 비즈니스를 하는 즐거움을 당신과 공유하고 싶을 뿐이다. 피부색도, 눈동자 색도, 머리카락 색도, 문화도 전혀 다른 사람, 지금까지 이 지구상에서 만나게 될 거라고는 생각도 못 했던 사람, 그런 사람들을 만날 수 있다. 서로 마음을 전할 수 있다.

그런 마음의 교류가 인생을 매우 풍요롭게 만든다. 아직 그 즐거움을 모르는 사람이 많다. 영어에 두려움을 품고 있기 때문이다. 나는 그런 슬픈 상황을 조금이라도 개선하고 싶다. 그렇게 다른 문화와의 만남을 즐기고, 서로의 생각을 토로하고, 감동으로 눈물을 흘리며 시대의 커다란 흐름에 따라 살 수 있다면 그야말로 최고의 인생이 아닐까.

그 첫걸음을 내디디기 위해 굳이 영어를 유창하게 구사할 필요는 없다. 책에 매달려 영어를 배울 필요도, 영어 회화 학원에 다닐 필요도 없다.

돈이 되는 실용적인 비즈니스 영어를 배우는 것.

그것은 일상 회화를 배우는 것보다 훨씬 간단하고 즐거운 일이다.

CHAPTER 2

공부하지 않아도 영어를 할 수 있는 사람의 비밀

01

마츠다 세이코는 어떻게 영어를 할 수 있었나?

약 10년 전, 미국에 살고 있었을 무렵에 우연히 CNN에서 마츠다 세이코(Matsuda Seiko)가 출연한 방송을 보았다. 당시 그녀는 미국 활동에 대해 인터뷰하고 있었다. 그 모습을 본 나는 솔직히 놀랐다. 인터뷰어를 상대로 당당하게 논쟁하는 것 아닌가? 물론 영어로.

마츠다 세이코는 고등학교를 졸업한 후부터 줄곧 연예인으로 활동했다. 본격적으로 영어를 배울 시간은 없었을 것이다. 그렇게 생각하니 더욱 감탄스러웠다. 그만큼 그녀의 영어 실력은 훌륭했다.

조금만 생각하면 마츠다 세이코처럼 영어를 할 줄 아는 사람은 얼마든지 있다. 예를 들어 로커(Rocker) 야자와 에이키치(Yazawa Eikichi)는 외국인 뮤지션과 대등하게 대화를 나눈다. 오케스트라 지휘자 오자와 세이지(Ozawa Seiji)는 백 명이나 되는 단원의 주의를 한순간에 잡아끄는 설득력 있는 영어를 구사한다. 그리고 메이저리그 야구선수 하세가와 시게토시(Hasegawa Shigetoshi)는 단기간에 영어의 달인이 되었으며, 영어 학습법을 서술한 책까지 출판했을 정도다. 안토니오 이노키(Antonio Inoki)를 비롯한 많은 프로레슬러도 영어를 유창하게 구사한다.

이 사람들은 영어를 진지하게 공부했을까? 설마 야자와 에이키치가 한 손에 문법책을 들고 현재형·과거형·과거분사형을 열심히 외웠겠는가? 로커인 그가 그런 볼썽사나운 짓을 했을 리 없다. **이처럼 '학교식 영어교육'이 느껴지지 않는 사람들이 영어를 유창하게 구사하는 이유가 무엇일까?**

그야 외국에서 시간을 보낼 때가 많기 때문이다. 외국인을 접할 기회도 많지 않은가. 하지만 환경만이 이유는 아니다. 외국에 살아도 영어를 못하는 사람이 많다. 실제로 미국의 대학원에 유학 가도 2년 정도 살아서는 영어가 갑자기 유창해지지 않는다. 요즘은 일본인 학생이 많기 때문이다. 아무리 환경이 좋아도, 열심히 공부해도 영어가 좀처럼 유창해지지 않는다. 그것이 보통 사람들의 고민이다.

반면 유학 경험도 없고, 공부도 안 하는데 영어를 잘하는 사람이 있다. 일본 마이크로소프트 전 대표였던 나루케 마코토(Naruke Makoto)는 한 번도 영어를 진지하게 공부한 적이 없다고 한다. 어느 날 정신을 차려보니 동시통역이 가능할 정도의 실력을 갖추게 됐다는 것이다. 우뇌 교육의 권위자 시치다 마코토(Shichida Makoto)도 마찬가지다. 그는 유학을 떠난 적도, 외국에 산 적도 없는데 전 세계를 날아다니며 영어로 강연한다.

영어를 공부해도 서툰 사람과 공부하지 않아도 유창한 사람의 차이는 도대체 무엇일까?

사실 단기간에 영어를 할 수 있는 비결이 있다. 이 비결은 너무나도 단순하다. 너무 단순해서 일단 듣고 나면 '그건 당연한 것 아냐?' 화내는 사람도 있을 것이다. 당연한 사실을 대단한 것이라도 되는 듯 다루는 이 책의 내용을 비판할 수도 있다. 나 역시 너무 당연해서 가르쳐주기가 망설여질 정도다.

하지만 당연하기에 강력한 법이다. 당연하지 않으면 아무도 실천할 수 없다. '콜럼버스의 달걀'처럼 누구나 할 수 있는 방법이다.

그 비결을 가르쳐주겠다. 단기간에 영어가 유창해지기 위해서는 '버리는 것'이 중요하다.

02

여섯 가지 상식을 버리면 영어 학습은 비약적으로 수월해진다

한때 '버리는 기술'을 다룬 책이 엄청난 베스트셀러를 기록했다(무려 100만 부나 팔렸다). 많은 사람이 정보와 물건이 과다하게 넘치는 세상에서 버릴 필요가 있다는 사실을 잠재적으로 느낀 것이다.

영어를 학습할 때도 '버리는 기술'을 효율적으로 활용할 수 있다. 내가 영어를 공부할 때는 버리는 중요성을 몰라서 굉장히 고생했다. 영어라는 이름이 붙은 거라면 뭐든 탐욕스럽게 암기했다. 50리터짜리 쓰레기 봉지 세 개에 단어장이 꽉 찼을 정도다. 지금은 대부분 잊어버렸다.

대부분 단어는 잊어버려도 별문제가 없다. 2차 방정식 푸는 법을 잊어버려도 생활에는 아무 지장이 없는 것처럼.

영어에 비해 프랑스어를 배울 때는 그만한 노력을 하지 않았다. 프랑스어는 문법을 조금 배우고, 한 달 정도 홈스테이한 것만으로도 유창해졌다. 물론 프랑스어가 영어보다 쉬운 건 아니다. 그렇다고 영어를 알아서 프랑스어를 빨리 배울 수 있었던 것도 아니다. 그렇게 따지면 영어권에서 태어난 사람은 누구나 프랑스어를 쉽게 배울 수 있을 테니 말이다. 내가 단기간에 외국어를 배울 수 있었던 비결은 '버리는 기술' 덕분이었다.

그렇다면 영어를 공부할 때 '버려야 할 것'은 무엇일까? 지금 공부해봤자 나중에 쓸모없어지는 것은 무엇일까? 다음 여섯 가지를 버려야 한다.

① 일상 회화를 버려라.
② 전문 분야 외의 주제를 버려라.
③ 단어 실력을 키우려는 노력을 버려라.
④ 문법적으로 정확하게 말하려는 생각을 버려라.
⑤ 유창하게 말하려는 욕심을 버려라.
⑥ 정확하게 발음하려는 생각을 버려라.

버려야 할 것을 버리고 나면 어깨의 짐이 훨씬 줄어든다. 왜 지금까지 영어 때문에 이런 고생을 했는지 바보스럽게 느껴질 것이다. 또 영어에 대한 두려움이 사라지고, 좀 더 즐겁고 효율적으로 공부할 수 있다.

그럼 다음 장부터 버려야 할 여섯 가지에 대해 하나씩 설명하겠다([비즈니스 영어에 필요한 버리는 기술 1~6] 참고).

03

비즈니스 영어에 필요한 버리는 기술 1

일상 회화를 버려라

영어를 철저하게 공부해서 외국과 수많은 거래를 성사시켰고, 수백억 엔의 배상금이 걸린 기업의 손해배상 교섭을 통역했으며, 나이지리아 외교관을 역임하며 바방기다(Ibrahim Babangida) 대통령의 통역까지 맡았던 나. 그런 내가 가장 어려워하는 영어는 무엇일까? 기술용어가 많은 비즈니스 교섭? 예의가 중시되는 외교 영어? 아니면 사투리가 심한 영어나 속어? 전부 아니다. 바로 어린아이와 대화하는 것이다.

"어린아이는 말하는 게 단순하니까 영어도 간단하지 않나요?"

"영어를 공부하려면 아동용 그림책이나 방송을 보는 게 좋다고 들었는데…"

나 역시 그렇게 착각했던 시절이 있다. 그래서 고등학생 때는 미국의 어린이를 위한 〈세서미 스트리트(Sesame Street)〉를 보며 공부하곤 했다. 하지만 현실은 전혀 다르다.

어린아이와 대화하는 것은 가장 고난이도 영어다.

생각해보자. '까꿍~'을 영어로 뭐라고 하면 좋을까? 당신도 모르지 않나? 그럼 줄넘기, 철봉, 모래사장, 실뜨기를 영어로 번역하면? 당연히 모를 것이다. 사실 나도 모른다.

일상 회화도 마찬가지다. 내가 대학원에 다니기 위해 미국에 살기 시작했을 무렵 매우 난감한 일이 있었다. 참고로 나의 토플(TOEFL) 점수는 620점, 즉 '시험용 영어'는 상당히 잘하는 편이었다. 그런데 맥도날드에서 느닷없이 영어를 알아들을 수 없는 상황에 부딪히곤 했다.

"Here or to go?" 무슨 뜻인지 알겠나? 일상 회화에서는 빈번하게 사용되는 표현이다. "가게에서 드시겠습니까, 아니면 포장하시겠습니까?" 이런 뜻이다. 학교에서 배운 **"Would you like to stay here, or take them out?"** 같은 표현은 들어본 적도 없다.

시련은 계속되었다. 이발소에 가서 영어로 어떻게 부탁해야 하는지 알고 있나? "귀를 반쯤 덮는 길이로, 뒷머리는 짧게 쳐주세요." 자, 영어로는 뭐라고 말해야 할까? 답은 나도 모른다. 모르는 척하는 게 아니라 정말 모른다. 왜냐, 알 필요가 없기 때문이다. 나는 미국에 사는 동안 아무리 고생해서 영어로 설명해봤자 결국 이발사는 늘 똑같은 스타일로 잘라준다는 사실을 알게 되었다.

그래서 이 한마디만 하기로 했다.

"Short please."

사실 'Short please'라고 하든 'Long please'라고 하든 결과는 별다른 차이가 없었다. 다만 'Short please'라고 말하는 게 다음번 머리를 자르러 이발소에 갈 때까지의 시간이 길었던 듯한 기분이다. 그래서 5년이나 외국에 사는 동안 언제나 'Short please'로 밀고 나갔다.

대통령의 통역까지 했던 사람이 일상 회화에서는 이 모양이 꼴이다. 대체 왜 그런 것일까? **일본인은 비즈니스 영어나 학술 영어가 어렵다는 착각에 빠져 있다.** 그러나 제일 어려운 것은 일상 회화다.

일상 회화가 어려운 것은 문법과 단어가 중요한 게 아니기 때문이다. 중요한 것은 '문화'다. 일상 회화에 접근하면 접근할수록 문화와 언어에는 특유의 발상이 개입된다. 그래서 어렸을 때부터 외국에 사는 교포 수준의 실력이 아니면 도저히 말이 나오지 않는다.

물론 외국인처럼 영어 회화와 속어를 구사하면 굉장히 유창하다는 인상을 주기에 멋있게 보일지도 모른다. 하지만 일본인이 어설프게 세련된 표현을 알고 있으면 큰일이 벌어진다. '이 일본인은 영어를 잘하나 보다'라는 생각에 상대방은 엄청난 속도로 속사포같이 말하기 시작한다. 게다가 세련된 표현을 잔뜩 넣어서.

일상 회화는 예외가 많아서 그 나라의 문화를 깊이 이해하지 않으면 제대로 구사하기 어렵다. 반면 비즈니스 영어는 의외로 간단하다. 그 이유를 다섯 가지로 정리해 이야기하겠다.

첫째, 상대방이 무슨 얘기를 할지 어느 정도 예상할 수 있다.

둘째, 업계 용어가 많다. 업계 용어는 일본에서도 일반적으로 사용하는 단어인 경우가 많다.

셋째, 일상 회화는 개인적인 화제가 많아서 관련 지식이 없으면 알아들을 수 없다. 그러나 비즈니스 영어는 이미 국제화되어서 공통화제가 많다.

넷째, 비즈니스 영어는 같은 말을 되풀이하는 경우가 많다. 즉 경험을 쌓으면 그 후 앵무새처럼 되풀이하기만 하면 된다.

다섯째, 비즈니스 영어는 상대방의 말을 알아듣지 못하면 성사되지 않는다. 즉 알아들을 능력이 없으면 애초에 이야기할 필요가 없다.

이런 다섯 가지 이유로 일상 회화보다 비즈니스 영어가 훨씬 간단하다. 그런데 일본의 비즈니스맨이 아무리 공부해도 영어를 못하는 이유는 무엇일까?

쉬운 비즈니스 영어를 제치고 일상 회화부터 공부하기 때문에 아무리 공부해도 영어를 못하는 것이다!

일상 회화까지 가능한 실력을 '10점 만점'이라고 하자. 내 생각에 외국 기업과 거래를 성사시킬 때 필요한 영어 실력은 '3~5점' 정도다. 3~5점만 되어도 평생 쓸 돈을 벌 수 있는 실력이다. 그러나 대부분 사람은 일상 회화부터 공부한다. 그래서 '10점'을 목표로 삼는다. 조금 먼 곳을 내다보기 위해서는 언덕에 올라가면 그만인데, 처음부터 에베레스트산에 오르는 것과 마찬가지다.

당연히 그 과정은 무척 험난하고 고생스럽다. 그래서 많은 사람이 중도에 포기하는 경우가 많다. 물론 에베레스트산에 오른 사람은 그 기쁨을 거창하게 떠들어댈 것이다. 완벽을 목표로 노력해야 한다고 말할 것이다. 그러나 비즈니스 영어에 한해서는 언덕에 올라가면 그만이다. 언덕에 올라가기만 해도 주위가 잘 보이니까.

04

비즈니스 영어에 필요한 버리는 기술 1

전문 분야 외의 주제를 버려라

외국인 스모 선수들은 굉장하다. 도무지 외국인 같지 않은 유창한 일본어를 구사한다. 인터뷰에도 유창한 일본어로 대답한다.

"승리의 원인은 겨드랑이 잡기에 성공했기 때문입니다."

"요즘은 계속 승승장구하고 있습니다."

이렇게 일본인도 떠올리기 어려운 표현을 일본에 온 지 불과 1, 2년 만에 구사한다. 그 이유가 뭘까? 일본어는 세계에서 제일 어려운 언어 중 하나에 속하는데, 어째서 저렇게 금방 배우는 것일까? **사실 이유는 간단하다. 외국인 스모 선수들이 일본어를 잘하는 비결을 3가지 정도 꼽아보겠다.**

비결 1. 자기 주 분야이기에 미리 질문을 예측할 수 있다. 특히 스모 선수에 대한 질문 패턴은 많아 봤자 열 가지 정도, 대표적인 질문은 3가지 정도다. 그래서 대부분 알아들을 수 있고, 못 알아들어도 엉뚱한 대답은 하지 않는다.

비결 2. 자신이 잘 알고 있는 분야이기에 어느 정도 준비하면 대답할 수 있다. 게다가 주절주절 대답하면 품격이 없어 보이므로 대답은 간결하게 한다. 즉 외우기가 쉽다.

비결 3. 난처한 질문을 받았을 때는 '네, 열심히 노력하겠습니다', '최선을 다하겠습니다'처럼 똑같은 대답을 하면 된다.

3가지 비결 중에 3번째, 즉 '난처할 때 똑같은 대답을 하는 것'은 비즈니스에 적용하면 돌이킬 수 없는 일이 벌어진다. 하지만 첫 번째와 두 번째 비결은 비즈니스 영어에 그대로 적용된다.

비즈니스 분야에서 어떻게든 영어를 하고 싶다면 예상되는 질문에 대한 대답을 준비하면 된다.

영어를 잘할 수 있는 비결은 이것뿐이다. 아무도 당신에게 그 이상을 기대하지 않는다. 스모 선수에게 경제 디플레이션이나 구조 개혁에 대해 말하라고 요구할 사람은 없는 것처럼, 비즈니스맨인 당신에게 미국의 정치 문제를 토론하자는 사람도, 일본인의 종교관을 설명해 달라는 사람도 없을 것이다.

물론 이야기꽃을 피우다 보면 일본의 역사나 문화 이야기가 나올 수도 있지만, 그건 친밀한 인간관계를 쌓거나 가족 단위의 교제를 시작한 후에 걱정할 문제다. 한마디로 일상 회화 수준의 어려운 문제일 뿐, 비즈니스 영어가 사용되는 회의실에서는 전혀 필요 없다.

뮤지션은 음악에 대해 이야기하고, 스포츠 선수는 경기에 대해 이야기하면 된다. 먼저 당신의 전문 분야 이외의 영어를 전부 버려라. 자기 주 분야와 특기에 집중하면 공부할 분량도 비약적으로 줄어들 것이다. 이 사실을 모르는 많은 사람은 모든 것을 배우려고 한다. 우리는 영어 시험에 세뇌당해 있다. 입시를 위해 과학, 경제, 문학, 철학, 종교까지 공부해야 했다.

비즈니스가 목적인 우리에게 과연 그런 분야의 영어를 배울 필요가 있을까? 그야 장기적으로 볼 때 할 수 있으면 좋긴 하다. 그러나 어디까지나 '할 수 있으면 좋은 것'일 뿐, 꼭 '해야만 하는 것'은 아니다.

05

복잡해 보일수록 배우기 쉽다

"나와 관계가 없는 분야의 영어는 배울 필요가 없단 말이지? 하긴 듣고 보니 그렇긴 하지만…."

"비즈니스에 집중하라고? 듣기에는 그럴듯해도 현실에서는 어떨까? 만약 비즈니스에 대한 질문을 예상해도 다양한 상황을 전부 대처할 수는 없지 않나?"

이렇게 의심하는 사람도 있을 것이다. 그런 사람들을 위해 나의 비밀을 고백하겠다. 나는 다이렉트 마케팅 전문 컨설턴트로 독립했다. 한때는 고객 획득에 대해 연간 2천 건의 질문이 접수되기도 했다. 연간 2천 건은 굉장한 양이다. 식사할 시간도, 화장실에 갈 시간도 거의 없이 아침부터 밤까지 20분마다 상담에 응해야 했다.

그런 나날을 휴일도 없이 1년이나 보냈다. 매일 죽도록 힘들었지만, 그 결과 전단이나 다이렉트 메일, 광고를 슬쩍 보기만 해도 '이 회사는 흑자 상태인지, 적자 상태인지', '지금 어디에 문제점이 있는지', '사내 매니지먼트 상황은 어떤지' 등 앞으로 어떤 문제가 발생할지 알 수 있었다.

이런 내 능력을 보고 내가 카리스마가 넘친다거나 천재라고 하는 사람도 있다. 하지만 계속하다 보면 누구나 할 수 있는 일이다. 단지 나는 '이런 기술(경험)을 익히려면 오랜 세월이 필요하다'라고 생각했다. 그러던 어느 날, '이런 경험도 복제 가능하다'란 사실을 깨달았다.

당시 나는 벽에 부딪혀 있었다. 연간 2천 건의 상담을 몇 년이나 계속하는 건 체력적으로 불가능하다. 따라서 나를 대신할 컨설턴트를 단기간에 육성할 필요가 있었다. '그럼 어떻게 해야 내 기술을 전수할 수 있을까?' 나는 내 기술을 객관적으로 분석하기 위해 연간 2천 건에 달하는 질문들을 분류하기 시작했다.

분명히 힘든 작업이란 생각에 단단히 각오했다. 지금까지 심혈을 기울여 익힌 기술이니까. 하지만 그 결과는 내 자존심을 산산이 조각냈다. 놀랍게도 2천 건의 질문을 크게 분류하면 열세 종류밖에 되지 않았다. 게다가 질문의 80퍼센트는 3가지로 분류할 수 있었다.

현실적으로 경영자가 품고 있는 문제의 종류는 그렇게 다양하지 않다. 패턴화하면 다양해 보였던 복잡한 내용이 단순한 형태로 집약된다. 따라서 분야를 좁혀 집중 트레이닝을 하면 단기간에 컨설턴트로서 성과를 올릴 수 있다.

그건 영어도 마찬가지다. **당신이 비즈니스에 사용할 영어는 한정되어 있다. 거짓말 같으면 당신이 영어로 말해야 하는 주제의 리스트를 만들어 보라. 10가지 이상의 분야가 떠오르면 리스트에 우선순위를 매겨보라. 지금 당신에게 정말 필요한 것은 많아 봤자 3~4가지뿐일 것이다. 내 말이 틀렸나?**

06

당신의 인생은 카세트테이프 몇 개분인가?

지금까지 내가 말한 내용을 요약하면 다음과 같다.

영어를 잘하고 싶나? 그것은 생각만큼 어려운 일이 아니다. 자신의 전문 분야 외에는 전부 버리면 된다. 그리고 정말 유창하게 말하고 싶은 주제를 추려내면 고작 3~4가지밖에 없을 것이다.

"전문 분야로 좁혀서 주제를 선택해봤자 내게는 해야 할 말이 잔뜩 있다. 그러니까 당신의 말은 받아들일 수 없다."

이렇게 비판하는 사람도 있을 것이다. 하지만 생각해보라. 당신은 정말 해야 할 말이 잔뜩 있나? **당신의 인생을 전부 이야기하려면 60분짜리 카세트테이프 몇 개가 필요할까?** 그야 어렸을 때부터 열심히 살아왔으니 100개나 200개쯤 필요하지 않을까. 처음엔 나도 그렇게 생각했다. 그러나 실제로 해보고 나서 그것이 어처구니없는 착각임을 알게 되었다.

그 사실을 깨달은 것은 내가 경영 컨설턴트 사이토 아키히로 씨의 의뢰로 〈창업자, 간다 마사노리〉 대담 테이프를 제작했을 때였다. 내가 필사적으로 달려온 26세부터 38세까지 12년간의 비즈니스 경험을 창업이라는 관점에서 이야기하는 내용이었다.

대체 얼마나 막대한 양이 되려나. 나는 두려움에 떨었다. 그러나 실제로 해보니 **60분짜리 테이프 세 개밖에 되지 않았다.** 물론 늘리려면 좀 더 늘릴 수는 있다. 그러나 핵심 내용만 뽑아내면 이것밖에 안 된다는 사실에 놀라고 말았다.

나는 올해 40세를 맞는다. 창업자로서 달려온 지난 12년은 내 인생에서 70퍼센트라는 큰 비중을 차지하고 있다. '그런 40년 동안의 인생을 테이프에 담아봤자 60분짜리 테이프 다섯 개밖에 안 되잖아!' 기가 막혔다.

나는 스스로 더 소중한 존재라고 생각하고 싶었다. 빈말이나마 '간다 씨는 이미 보통 사람의 세 배쯤 산 거나 다름없어요'라고 말해주는 사람도 있었다. 나름대로 치밀한 인생을 살아온 셈이다. 하지만 최대한 많이 잡아봤자 60분짜리 테이프 10개다. 이럴 수가.

현실을 직시하는 게 두렵지 않다면 다음 질문에 대답해보라. '당신이 지금까지 살아온 인생을 기록한다면 그 분량은 얼마나 될까?' 대부분 많다고 생각하고 싶을 것이다. 하지만 실제로는 눈물이 날 만큼 적다. 이것은 굉장히 중요한 인식이다. 우리는 기억을 통해 '나는 이런 사람이다'라는 사실을 이해하고 있다.

예를 들면 나는 '이런 이름에', '몇 년 몇 월에 태어났고', '이런 곳에 살고 있고', '초등학생 때 이런 경험을 했고', '중학생 때는 이런 경험을 했고' 등이다. 이렇게 ' '로 묶인 기억의 집합체를 자신이라고 인식한다. '나의 기억 = 나'라고 생각하는 것이다.

그렇게 당신이 '나'라고 생각하는 그 기억은 테이프 열 개 분량밖에 안 된다. 물론 잠재의식까지 포함하면 인간은 막대한 지식과 정보를 지니고 있다. 하지만 일상생활에서 자신의 의식이 걸러내는 정보는 겨우 테이프 열 개 분량뿐이다.

'나'라고 생각하는 존재는 테이프에 녹음된 정보(기억)이며, 뇌는 그것을 재생하는 테이프레코더다. 나이를 먹으면 테이프가 닳아서 재생할 수 없게 된다. 그것이 알츠하이머병이다. 즉 테이프레코더는 있지만, 테이프가 사라진 상태다. 겉보기에는 똑같아 보여도 감정과 표정이 사라지고 만다.

만약 자신의 아이를 봐도 '누구세요?'라고 묻는다면? 지금까지와 동일 인물이라 할 수 없다. 바꿔 말해서 자신을 형성하고 있는 기억이 사라지지 않으면 알츠하이머병에 걸리지 않는다는 뜻이다.

그렇다면 알츠하이머병을 예방하는 가장 좋은 방법은 무엇일까? 자신의 역사를 기록하는 것이다. 그러면 테이프의 내용이 쉽게 사라지지 않는다. 자신이라는 의식(자아)이 얼마나 사라지기 쉬운지 이제 알겠나? 당신이 '나'라고 믿고 있는 몸은 '나'가 아니다. 당신이 '나'라고 믿는 마음도 '나'가 아니다. 몸은 하드웨어이고, 마음은 소프트웨어이며, 그것을 조작하는 것이 본래의 '나'다(뇌의 운영체제를 알면 전 세계가 언어 구분 없이 의사를 소통하는 꿈같은 시대가 찾아올지도 모른다.).

내가 이런 철학적인 이야기를 하는 이유는, 이 사실을 이해하면 단기간에 영어를 터득하는 획기적인 방법을 알 수 있어서다. 그 획기적인 방법이란 무엇일까?

자신의 전문 분야와 관련된 60분짜리 테이프 3개 분량의 영어를 머릿속에 집어넣는 것이다.

즉 10개 분량의 인생 중 3개가 영어로 변한다. 인생의 3분의 1이 영어인 셈이다. 그러면 흥미 있는 분야에 대해서만큼은 자신 있게 영어로 이야기할 수 있다.

당신이 잘못 읽은 것이 아니다. 겨우 60분짜리 테이프 3개만 외우면 된다. 그러면 당신의 전문 분야에서 사용되는 단어를 알게 된다. 문법 패턴도 익히게 된다. 그리고 네이티브스피커의 리듬과 톤을 알게 된다.

테이프 속의 인물을 흉내 내라. 목소리 톤과 감정도 흉내 내며 그

사람으로 완벽하게 변해라. 전문용어를 영어로 말해보라. 천연덕스러운 표정으로 자연스럽게. 외국인 스모 선수처럼 영어를 할 줄 아는 게 당연하다는 듯이 말해보라. 그럼 적어도 남들에게는 '외국인 수준'이라는 평가를 받을 것이다.

물론 말할 수 있는 레퍼토리는 한정되어 있다. 하지만 비즈니스의 경우 발표해야 할 레퍼토리가 얼마 안 되기 때문에 아무도 눈치채지 못할 것이다. 이렇게 연기를 하다 보면 어느덧 임기응변이 가능해진다. 일단 형태를 배우고 나면, 그 형태를 이용한 임기응변식 표현은 빠르게 익힐 수 있다. 그러면 자신도 깜짝 놀랄 만큼 영어를 잘하게 될 것이다.

07

동기가 불순하면 빨리 배운다

"말도 안 돼! 테이프 3개를 어떻게 외워!!"

낙심하지 말고, 내 얘기를 좀 더 들어보자.

'테이프 3개의 법칙'은 실제로 내가 프랑스어를 공부할 때 터득한 방법이다. 내가 홈스테이 한 달 만에 내 생각을 프랑스어로 전부 말할 수 있게 됐다는 이야기는 이미 앞에서 했다. 당시 내가 프랑스어를 배우기 시작한 건 불순한 동기 때문이다. 내 친구 중에 프랑스인 여성이 있었는데, 단지 그녀와 대화하고 싶었을 뿐이다. 그래서인지 영어만큼 진지하게 공부하지 않았다.

하지만 그걸로 충분했다. **언어란 불순한 동기로, 불성실하게 공부할 때 훨씬 빨리 느는 법이다.** 농담은 이쯤에서 끝내고, 내가 프랑스로 떠난 건 1992년 여름으로, 니스 교외에 있는 유대(Judea)계 미망인 조제핀의 집에 묵었다. 그녀는 중동의 보석이라 불리는 알제리의 유복한 가정에서 태어났으나 1950년대 독립전쟁을 피해 어린 시절 가족과 함께 프랑스로 이주했다(당시에는 홀로 조용히 살았다).

조제핀의 집은 길에서 조금 떨어진 언덕 위에 자리 잡고 있었는데 집이라기보다는 성 같았다. 옛날에는 멋진 저택이었을 법했다. 심지어 집 안 가구에서도 역사가 느껴졌다. 내게 주어진 방도 훌륭했다. 다만 몇 년 동안 아무도 들어온 적이 없는지 곰팡내가 감돌았고, 벽에 걸린 초상화가 나를 노려보았다. 마치 공포 영화의 세트장 같았다.

당시 나는 학교에서 프랑스어를 조금 공부하긴 했지만, 그래봤자 내 실력은 NHK 라디오 강좌 초급 수준이었다. 당연히 회화는 불가능했다. 그래도 프랑스어를 마스터하면 인기 있는 남자가 될지도 모른다는 불순한 동기로, 큰맘 먹고 홈스테이를 신청했다. 매일 오전에는 프랑스어 강좌를 들었다. 그러나 오후에는 큰일이었다. 클래스에는 일본인이 없었고, 대부분 스위스인과 영국인이었다. 그들은 낯선 일본인에게 흥미가 없었고, 당연히 친구는 사귈 수 없었다.

외톨이로 보내는 오후, 할 일 없이 빈둥거릴 수는 없고 어쩌면 좋을까? 그러고 보니 일본에서 테이프 교재를 가져왔잖아. 이름하여 〈샹젤리제〉! 프랑스 시사 문제와 정치·경제·문화 등 다양한 주제를 라디오 방송처럼 수록한 테이프였다. 특히 재미있는 건 프랑스의 저명인사 인터뷰 코너였다. 첨부된 자료에는 원문과 번역본, 그리고 어휘 설명까지 수록되었다.

나는 이 교재를 들고 조제핀의 집에서 나와 니스 해변으로 걸어갔다. 그리고 해변에 누워 테이프를 듣기 시작했다. 정신을 차리고 보니 근처에 예쁜 아가씨들이 모여 있는 게 아닌가? 게다가 다들 토플리스(Topless)라니… 눈을 어디에 둘지 민망하면서도 말을 걸 수 없는 나 자신이 원망스러웠다.

바다와 하늘과 태양, 그리고 토플리스 글래머들이 우글거리는 니스 해변. 그런데도 쓸쓸한 나, 그런 나를 위로해 준 것은 〈샹젤리제〉였다. 할 수 없이 눈을 질끈 감고 오기로 〈샹젤리제〉에 귀를 기울였다. 그러면서 차츰 몰두하기 시작했다. 나는 열심히 듣고 중얼중얼 따라 하기를 되풀이했다.

하지만 이래봤자 무슨 소용이 있을까. 그런 의문이 고개를 쳐들었지만, 달리 할 일이 없으니 별수 없지 않은가. 망상을 떨치고 테이프에 몰두했다. 어쨌든 해가 지기도 전에 유령이 나올 것 같은 어두운 고성으로 돌아가고 싶지는 않았으니까. 그래서 몸이 싸늘해질 때까지 해변에 누워 〈샹젤리제〉를 들었다.

비가 오는 날에는 해변에도 가지 않고 거리를 산책하며 시간을 보냈다. 그럴 때는 간단한 것부터 프랑스어로 표현하고자 걸으면서 중얼거렸다. 오늘 있었던 일을 일기로 쓰는 것처럼 프랑스어로 혼잣말을 했다.

물론 처음에는 고생했다. 하지만 인간의 생각이란 보통 비슷한 패턴의 반복이다. 그래서 몇 가지 패턴을 구사할 수 있게 된 후부터 혼잣말은 그럭저럭 프랑스어다워졌다.

매일 매일 고독한 나날의 연속이었다. 2주일이 지나고 3주일이 지났다. 4주째에 접어들었을 때 사건이 벌어졌다. 내 입에서 프랑스어가 술술 흘러나오는 것 아닌가!

갑자기 프랑스어를 할 수 있게 된 나를 본 조제핀은 깜짝 놀랐다. 불과 3주일 전에 '위(Oui, 예)', '농(Non, 아니요)'만 알았고, 문장이라고 해봤자 '훌륭합니다', '프랑스인은 친절합니다', '프랑스는 멋진 나라입니다' 밖에 못 했으니 말이다. 하지만 지금은 다르다. 지금은 오늘 보고 온 프랑스 영화에 대해 이야기할 수 있을 정도다. 조제핀은 진심으로 기뻐해 주었다. 너무 기쁜 나머지 서로 얼싸안았다.

"실은 해변에 있던 토플리스 아가씨들과 얼싸안고 싶었죠?"

어쩌면 그렇게 생각할지도 모른다. 조제핀은 60세, 해변의 토플리스 아가씨들은 20세. 사실 나이 차이는 상관없다. 나의 신조는 긍정적인 사고방식이다. 그러니까 괜찮다. 60세 여성과 껴안고 있는 것이 아니라, 20세 여성 세 명과 끌어안고 있다고 생각하면 된다. 그러자 기쁨도 3배로 느껴졌다. 눈앞의 세계가 넓어졌다. 안개가 걷힌 것처럼. 외국어를 할 수 있게 된다는 건 이런 것이다!

08

최고의 살아 있는 공부란?

외국어를 익히기 위해서는 자신의 전문 분야와 관련된 테이프 3개를 암기하면 된다(특히 대담 테이프). 실제로 사용하는 '살아 있는' 언어를 따라 해보는 것이다. 나는 이보다 효율적인 공부법은 본 적이 없다.

비즈니스 영어도 마찬가지다. 비즈니스 영어의 주제는 의외로 한정되어 있다. 물론 세상에는 방대한 내용이 존재하지만, 내가 지금 전하고 싶은 정보만을 추려보면 일본어 역시 몇 가지 같은 주제를 되풀이할 뿐이다. 우리는 온종일 많은 생각을 하는 것 같아도 사실 '같은 생각'을 되풀이하고 있다. 즉 '생각의 테이프'가 끝없이 돌아가는 것에 불과하다.

그러니까 우리에게 흥미가 있는 비즈니스 분야로 범위를 좁혀 60분짜리 영어 테이프 3개를 외우기만 하면 된다. 그러면 매우 짧은 기간에 비즈니스 영어를 자유롭게 구사할 수 있다.

"자신의 전문 분야와 관련된 테이프를 3개만 외우면 된다고?

그럼 왜 영어를 할 줄 아는 사람이 이것밖에 안 되지?"

당연히 그런 의문이 생길 것이다. 나도 그랬다. 그 이유는 전문 분야와 관련된 테이프 3개를 암기하는 사람이 없기 때문이다. 당신의 주위를 둘러보라. 그런 사람이 있나?

올해는 무슨 일이 있어도 영어를 열심히 공부하겠다고 마음먹었을 때 대부분 사람은 학교에서 그랬던 것처럼 일상 회화부터 배운다. 하지만 비즈니스에 관심이 있는 비즈니스맨은 금방 흥미를 잃고 도중에 포기해 버린다.

학생 때에는 기초를 쌓는다는 의미에서 일상 회화를 공부할 필요가 있다. 또 완벽한 영어 실력이 목표인 사람에게는 필요한 과정이다. 그러나 비즈니스맨은 바쁘다. 공부할 시간이 별로 없다. 영어뿐 아니라 비즈니스에 관해 배우고 싶은 지식도 많다. 비즈니스맨이 일상 회화부터 공부하는 건, 준비운동만 하고 공은 치지 않는 테니스 선수와 같다.

물론 공을 치려면 기초 트레이닝을 해야 한다. 마찬가지로 어느 정도 단어 실력이 없으면 테이프에서 무슨 말을 하는지 알아들을 수 없다. 또 어느 정도 문법 실력이 없으면 외울 때 시간이 오래 걸린다.

예를 들어 내가 중국어를 공부한다면 느닷없이 암기부터 시작하지는 않는다. 당연히 NHK 라디오 강좌나 TV 강좌부터 듣기 시작할 것이다. 어느 정도 기초가 쌓이면 그때부터는 '응용'이다. 존경하는 중국인의 대담 테이프를 구해서 암기를 시작하는 것이다.

하지만 잊어서는 안 된다. 우리에게 영어는 미지의 언어가 아니다. 3년 동안 중학교에 다니며 필요한 단어는 이미 전부 배웠다. 그리고 문법은 다른 나라와 비교할 수 없을 만큼 철저하게 교육받았다. 그러니까 이제 기초는 충분하다. 이제 그만 '응용' 편으로, '살아 있는 영어'로 옮겨가자.

그러나 테이프 3개를 암기하는 게 쉽지는 않다. 당연히 노력이 필요하다. 하지만 내가 강조하고 싶은 것은 좋아하는 분야라면 즐기면서 공부할 수 있다는 점이다.

특히 존경하는 사람의 회화를 통해 영어를 배우는 것은 최고의 살아 있는 공부다.

사실 테이프 3개는 넉넉하게 잡은 양이다. 꼭 3개를 외워야 하는 건 아니다. 2개나 1개 반 정도만 외워도 대부분 상당히 유창해질 것이다. 또 테이프를 통째로 외울 필요도 없다. 그건 나 역시 불가능하다. 부분적으로는 70퍼센트, 전체적으로는 30~40퍼센트 정도만 외우면 된다. 그 정도만 외워도 '외국인 수준'이라는 말을 듣게 될 것이다.

"그래, 지금까지 일상 회화부터 공부하다가 몇 번이나 좌절을 겪었는데, 테이프 3개를 외우는 데 도전해 볼 가치가 있을지도 몰라. 그런데 그런 테이프를 어디서 구하지?"

하긴 테이프를 구할 방법을 모르면 공부를 시작하고 싶어도 시작할 수 없다. 미국은 오디오 교재 분야가 매우 발달했다. 자동차 사회인 미국에서는 차 안이 경영자의 공부 공간인 셈이다. 특히 비즈니스 분야는 저자가 책의 내용을 직접 녹음한 오디오북(Audio Book)이 많이 발매되어 있다.

단순히 국어책 읽듯이 낭독하는 게 아니라 감정을 담아 대화조로 녹음한 것도 많다. 예를 들어 내가 번역과 감수를 맡아 일본에 출판된 로버트 앨런(Robert G Allen)의 《Multiples Streams of lncome》도 오디오북이 발매되었는데, 책 내용뿐 아니라 저자의 강연, 전화 인터뷰 등 '살아 있는 영어'가 가득 담겨 있다. [일본판은《로버트 앨런의 실천! 억만장자 입문》이다.]

비즈니스와 관련된 오디오 교재를 판매하는 회사 중 가장 유명한 회사는 미국의 나이팅게일 코넌트다. 이 회사는 비즈니스와 자기 계발 관련 교재의 종합 백화점이라 할 만큼 충실한 라인업을 자랑한다. 자기계발 분야에서 나이팅게일 코넌트만큼 유명한 회사로는 역시 미국의 러닝 스트레티지스가 꼽힌다.

러닝 스트레티지스에서 발매한 교재에는 능력 계발 분야의 최첨단 지식이 담겨 있다. 단 지식을 얻기에는 좋지만, 학술 용어가 많아서 영어 교재로 삼기에는 조금 어려울 수 있다. 내가 권유한 것처럼 '대담'을 원한다면 CNN의 《래리 킹 라이브(Larry King Live)》를 추천한다. [교재 정보는 이 책 2권의 부록인 '간다 마사노

리의 정보 소스'에 자세히 수록했다.]

이제 비즈니스 영어를 배우기 위해 '버려야 하는 것'의 중요성을 알게 되었을 것이다. 일상 회화와 전문 분야 이외의 주제를 버리면 나머지 항목을 버리는 것도 간단해진다. 남은 4가지 버려야 할 것도 단숨에 설명하겠다.

09

비즈니스 영어에 필요한 버리는 기술 2

단어 실력을 키우려는 노력을 버려라

'나는 단어 실력이 부족해서 영어를 못한다'라는 사람이 있다. 일단 영어를 할 수 있는 환경을 만들어야 한다는 생각에 큰맘 먹고 외국인들 속으로 뛰어들지만, 도무지 영어가 입에서 나오지 않는다. 열심히 애써 봐도 '이걸 영어로 뭐라고 하지?' 생각에 막혀 대화가 이어지지 않고, 때론 쉬운 단어인데 '이것도 몰랐구나'하고 좌절한다.

그리곤 이렇게 생각한다. '단어만 많이 알면 영어를 할 수 있을 텐데…' 그래서 단어 실력을 키우려고 노력하지만, 수험생이 사용할 법한 교재를 사 온 순간부터 ABC 순서대로 단어를 외워야 한다. 당연히 악몽 같은 시험공부가 떠오르기 마련이다. 바쁜 비즈니스맨은 도저히 공부를 계속할 수 없다.

실은 나도 학창 시절에는 단어를 많이 알아야 영어를 잘한다고 생각해서 철저하게 단어를 외웠다. 신문과 잡지를 읽고, TV를 보다가 마

음에 드는 표현이 있으면 바로 단어장에 적었다. 가방 속에 언제나 단어장을 넣고 다니면서 틈만 나면 꺼내서 중얼중얼 외웠다.

그렇게 고생하며 하나하나 단어를 외웠지만, 지금은 대부분 잊어버렸다. 그래도 영어는 할 수 있다. 왜냐, 단어에 의지하지 않고 자신을 표현하는 방법을 알기 때문이다.

정말로 단어에 의지하지 않고 자신을 표현할 수 있을까? **물론 단어 실력은 필요하다. 아무것도 모르면 외국어로 자신을 표현할 수 없다. 하지만 당신은 이미 자신을 표현하기 위한 단어 실력을 갖추고 있다.**

영어가 모국어인 사람들이 회화에 어느 정도 단어를 사용하는지 조사한 책이 있다. 그 책에 의하면 **일상생활에 가장 많이 사용되는 단어는 300개에 불과하다고 한다.** 영국의 언어학자인 찰스 오그던(Charles Ogden)은 "자신을 어떤 방법으로도 표현할 수 있는 단어는 850개"라고 말했다. 즉 한 시간만 투자하면 충분히 외울 수 있는 양이다.

비즈니스 영어는 이 850개의 단어에 전문용어를 더하면 거의 완성된다. 그리고 비즈니스 전문용어는 일본에서도 영어 단어를 그대로 사용하는 경우가 많다. 리엔지니어링(Reengineering, 업무 재설계·조직 재충전 등의 경영기법)이나 퍼미션 마케팅(Permission Marketing, 낯선 고객의 마음을 열어 충성고객으로 만드는 전략)처럼 대부분 그대로 쓰이고 있다. 그렇다면 단어 실력은 정말 필요가 없을까? 필요 없는 건 아니지만, 당신의 생각만큼 비즈니스 영어에서 사용되는 단어는 어렵지 않다는 뜻이다.

한가지 예를 들어보겠다. 다음 페이지의 영문은 내가 '게릴라 마케팅'의 마스터 트레이너 윌리엄 리드(William Reed)를 인터뷰했을 때 발언했던 내용 중 일부다.

윌리엄 리드와의 인터뷰

I think people have not come up with the speed of e-mail. Because you just mentioned that e-mail is changing international business as well. Because before, in order to get a contact with an American business partner, I had to write faxes and write letters. And in order to get in touch with an American marketing guru, you have to write or fax. But e-mail makes it so much easier.
I had a contract, a non-exclusive sales distributor contract, selling what we call the Affirmation clock', which basically gives you a wakeup call with your own voice, and you can record whatever message you want.

사람들은 아직 이메일의 속도를 따라가지 못하는 것 같습니다. 이메일은 국제 비즈니스에도 변혁을 일으키고 있다고 아까도 말씀드렸죠. 예전에는 미국에서 비즈니스 파트너를 찾으려면 팩스를 보내거나 편지를 써야 했습니다. 미국의 마케팅 권위자를 만나고 싶을 때도 팩스를 보내거나 편지를 써야 했습니다. 하지만 이메일 덕분에 굉장히 편해졌습니다.
저는 이메일 한 통으로 어퍼메이션 스테이션이라는 시계의 비독점 판매 계약을 따낸 적이 있습니다. 자신의 목소리로 마음에 드는 메시지를 녹음하면 그 소리로 잠을 깨워주는 시계라더군요.

당신이 모르는 영어 단어는 몇 개인가? 실제 사용한 영어는 일본에서 사용하는 영어와 중학교 영어의 연속이다.

이메일의 스피드는 speed of e-mail

국제 비즈니스는 international business

미국의 비즈니스 파트너는 American business partner

마케팅 권위자는 marketing guru

비독점 계약은 non-exclusive sales contract

'비독점 계약'이 영어로 뭔지는 몰랐더라도 비즈니스 경험이 있는 사람은 이 말을 들을 기회도 많거니와 일본에서도 영어를 그대로 사용하는 경우가 많다. 또 제품명인 '어퍼메이션(Affirmation)'은 일본의 자기 계발 분야 책에서 '어퍼메이션' 단어를 그대로 사용한다. 비즈니스 영어처럼 전문적이면 전문적일수록 평소 일본어로 대화할 때 쓰는 표현과 비슷해지는 것이다.

많은 사람이 단어를 암기하거나 관용구를 사용하지 않으면 비즈니스를 할 수 없다는 착각에 빠져 있다. 물론 관용구로 표현하는 것은 멋지다. 마치 '나는 미국에 오래 살아서 일본인이 모르는 이런 표현도 알고 있다'라는 우월감을 느끼게 한다.

나도 그런 허영심을 충족하려고 영어를 공부했던 시절이 있다. 하지만 그런 관용구는 대부분 잊어버렸다. 잊어버릴 만한 표현을 당신에게 권하고 싶지 않다.

현재 비즈니스는 국제적으로 발전되어 있다. 미국적인 관용구 표현을 알고 있다 해도 다른 영어권에서는 통하지 않는다. 따라서 되도록 단순하고 명쾌한 단어를 써야 한다.

이제 회화가 이어지지 않는 이유는 단어 실력 때문이 아님을 알게 되었을 것이다.

열쇠는 단어 실력이 아니라 영어적인 발상이다.

애초에 일본어를 영어로 번역해봤자 무리가 따른다. 발상 자체를 영어로 해야 한다. 영어는 '논리적인 언어'인 반면 일본어는 '감정적인 언어'다. 정반대라고 해도 좋을 정도다. 예를 들어 영어는 먼저 '결론'을 말한다. 그러고 나서 '그 이유는 3가지입니다. 지금부터 그 3가지 이유를 말하겠습니다' 식으로 문장이 구성된다.

그에 비해 일본어는 감정적이다. '이런 케이스가 있습니다. 하지만 이런 경우도 생각해야 합니다' 식으로 문장이 구성된다. 즉 급할수록 돌아가라(서두르되 정확히 인식하라)는 뜻인데, 이런 일본어 특유의 발상을 그대로 영어로 바꿔봤자 상대방에게 전해지지 않는다.

그럼 영어적인 발상을 하려면 어떻게 해야 하나? 'GIGO'란 말이 있다. 컴퓨터 엔지니어들 사이에서 쓰는 말로 'GARBAGE IN, GARBAGE OUT'의 약어다. '쓰레기 같은 데

이터를 넣으면 쓰레기 같은 결과가 나온다'라는 뜻이다.

영어도 마찬가지다. 그럴듯한 영어를 구사하려면 그럴듯한 영어를 입력해야 한다. 그것이 가장 효율적인 방법이다. 인풋(Input)이 논리적이면 아웃풋(Output)도 당연히 논리적인 법. 자신이 좋아하는 분야의 정보를 영어로 입력하다 보면, 어느새 영어적인 발상을 할 수 있게 될 것이다.

자신이 좋아하는 분야를 집중적으로 파고들어 영어로 정보를 흡수하다 보면, 누군가에게 그 내용을 전하고 싶어지는 법이다. 게다가 보통 자신의 지식을 다른 사람에게 전할 때는 단순히 남의 정보를 그대로 옮기기만 하지는 않는다. 즉 당신이 일본에서 쌓은 경험이 가미되기 마련이다. 해외의 정보를 일본인 특유의 감성으로 해석하는 것이다.

이처럼 해외에서 얻은 정보를 나름대로 재해석한 뒤 자신의 경험을 첨가하여 남에게 전할 때마다 단어 실력은 자연스럽게 높아진다. 이것이 바로 '살아 있는 영어 공부', '살아 있는 지식'이다. 논리와 감정이라는 정반대의 언어를 통합하는 훌륭한 발상은 이럴 때 탄생하는 법이다. 그러니까 설령 영어가 틀렸다 해도 상대방은 진지하게 당신의 이야기를 들어줄 것이다.

일상생활에서 가장 많이 쓰이는 300개 단어
훑어보면 알겠지만, 당신이 모르는 단어는 없을 것이다.

the of and a to in is you this it he for was on are with his they at be this from I have or by one had not but what all were when we there can an your which their said if do will each about how up out them then she many some so these would other into has more her two like him see time could no make than first been its who now people my made over did down only way find use may water long little very after words called just where most know get through back much before go good new write our used me man too any day same right look think also around another came come work three word three word must because does part even place well such here take why things help put years different away again off went old number great tell men say small every found still between name should Mr. home big give air line set own under read last never us left end along while might next sound below saw something thought asked house don’t world going want school important until form food keep children feet land side wkhout boy once animals life enough took sometimes four head above kind began almost live page got earth need far hand high year mother light parts country father let night following picture being study second eyes soon times story boys since white days ever paper hard near sentence better best across during today others however sure means knew it’s try told young miles sun ways thing whole hear example heard several change answer room sea against top turned learn point city play toward five using himself usually

_〈The American Heritage Word Frequence Book〉 중에서

10

비즈니스 영어에 필요한 버리는 기술 2

문법적으로 정확하게 말하려는 생각을 버려라

외국의 공항에 도착해서 호텔로 가려고 택시를 탔다. 그리고 학교에서 배운 대로 이렇게 말했다.

"Would you take me to the Marriott Hotel, please?"

하지만 운전사는 당신의 말을 알아듣지 못한다. 몇 번이나 되풀이해도 전혀 통하지 않는다. 발음이 이상한 것일까? 아니면 문법이 틀린 것일까? 운전사는 무슨 말인지 모르겠다고 손을 젓는다. 당신의 자신감은 산산조각 난다. 그럼 어떻게 해야 하는가?

"Marriott Hotel, please."

이렇게만 말하면 된다. 충분히 통하고도 남는다. 충분하기는커녕 반드시 이렇게 말해야만 한다. 왜냐, 대부분의 택시 운전사들에게 영어는 모국어가 아니다. 심지어 몇몇은 3주일 전에 온 외국인마저 있다.

물론 영어 시험을 볼 때는 올바른 문법이 중시된다. 그러나 사실 일본어도 영어도 문법적으로 정확하게 말하는 사람은 아무도 없다.

시험 삼아 자신의 말을 녹음하여 적어보자. 그 문장을 남에게 보이면 과연 어떻게 될까? 아마 대폭 수정하지 않으면 다들 무슨 뜻인지 모를 것이다. 그러나 이상하게도 그 문장을 말로 표현하면 아무 문제 없이 의미가 전달된다. 인간은 문장을 전부 듣고 의미를 파악하는 것이 아니라 회화에 포함된 몇 가지 단어를 통해 자기 나름대로 의미를 재구성하기 때문이다.

즉 상대방의 이야기를 이해하고 있는 것처럼 보여도 실은 듣는 사람이 나름대로 의미를 재구성하는 것이다.

이야기하면서 문법을 신경 쓰는 것은 브레이크를 밟으며 액셀을 밟는 것과 마찬가지다. 이래서야 회화는 좀처럼 앞으로 나아가지 못한다.

앞에서 내가 말한 문장을 다시 살펴보자('윌리엄 리드와의 인터뷰' 참고).

"I had a contract, a non-exclusive sales distributor contract, selling what we call the 'affirmation clock', which basically gives you a wakeup call with your own voice, and you can record whatever message you want."

자세히 읽어보면 올바른 문장이 아니다. **'selling'** 뒷부분은 문법적으로 해석하면 '계약이 판매하는'이라는 알 수 없는 문장이 되어버린다. 게다가 마지막 부분의 **'you can record whatever message you want'**는 문법상 대체 뭘 설명하는 것인지 알 수 없다.

영어 작문 시험에 이렇게 썼다가는 10점 만점에 3점 정도? 하지만 대화는 아무 문제 없이 진행되었다. 다시 한번 강조하지만, 존중하는 의미에서 올바른 영어를 구사하는 건 중요하다. 하지만 우리는 이미 충분한 문법 실력을 갖추고 있다.

시험에서 좋은 점수를 얻기 위한 문법은 중학교 시절에 충분히 배웠다. 잊어버렸다 해도 문법책을 대충 훑어보며 복습하면 금방 기억날 것이다. 비즈니스 영어에서 중요한 것은 시험에 나오는 문법적인 지식이 아니다. 자신이 하고 싶은 말을 표현할 수 있는 문장 패턴을 몇 개나 알고 있냐는 것이다.

문법이 아닌 '문장 패턴', 즉 표현의 형식을 얼마나 알고 있는지가 중요하다. 그러면 비즈니스에서 영어로 말할 때 아무 지장 없는 수준이란 몇 가지 문장 패턴을 구사하는 것일까? 나는 2시간에 걸쳐 영어 대담 테이프를 글로 적어서 내가 구사하는 영어를 분석했다. 내가 하고 싶은 말을 표현할 때 몇 가지 문장 패턴을 사용했는지 조사하기 위해서다.

하고 싶은 말을 전부 표현하기 위해서는 몇 가지 문장 패턴이 필요할까? 내가 알고 있는 문장 패턴은 몇 개나 될까?

말하기도 창피하지만, 4가지 패턴밖에 없다. 두 시간 동안 떠들어댔건만 문장 패턴은 고작 이것뿐이었다.

① Would you tell us(me) about…

② So the important thing is…

③ Well, I think that…

④ So, what are saying is…

미국에서 대학원을 두 군데나 졸업한 내가 이것밖에 사용하지 않는 것이다! **중학교 1학년 때 배운 문법만으로 충분히 구사할 수 있는 문장이다.** 왠지 내 무식함을 드러내는 것 같다. 슬프다. 하지만 이 네 가지 패턴을 외우기만 해도 비즈니스에는 아무 문제가 없다. 사실 네 가지 패턴만으로도 60분 이상 대화가 성립되었다.

그렇다면 이 네 가지 패턴과 최소한의 영어 실력으로 어떻게 최고의 커뮤니케이션이 가능할까? 내가 주장하고 싶은 것은 영어란 아무리 복잡해 보여도 '같은 패턴의 반복'이라는 점이다. 이것은 할리우드 영화만 봐도 알 수 있다. 〈스타워즈〉, 〈타이타닉〉, 〈캐치 미 이프 유 캔〉등 모두 같은 스토리 패턴을 토대로 만들어졌다.

비즈니스 영어도 마찬가지다. 이 패턴을 외우면 자기 생각을 대부분 표현할 수 있다. 그 사실만 터득하면 비즈니스 영어를 놀랄 만큼 빠르게 마스터할 수 있을 것이다. **복잡해 보이는 것일수록 패턴화하면 빨리 습득할 수 있다.**

11

비즈니스 영어에 필요한 버리는 기술 2

유창하게 말하려는 욕심을 버려라

비즈니스 영어는 너무 유창하게 말해서는 안 된다.

그 이유를 설명하겠다. 영어를 공부하다 보면 자신의 영어 실력을 시험하고 싶어지기 마련이다. '얼마나 통할까? 제법 통하지 않을까?' 입이 근질거려서 상대방이 듣든 말든 자기만 얘기하고 싶어진다. 그럼 어떻게 될까?

예를 들어 2~3주일 전 일본에 온 중국인 유학생을 만났다. 그 유학생이 일본어를 할 줄 아는지 못하는지 전혀 모르고 처음 만난 상황이다. 그런데 그 유학생이 자기소개를 시작했다. 말은 곧잘 하지만 중국어 억양이 강하고, 틀린 부분도 많다. 그런데 자기소개가 끝나자마자 이번에는 중국의 정치와 경제에 대해 일방적으로 떠들어대기 시작했다. 당신은 그 유학생을 몇 분이나 참아줄 수 있을까?

"내가 이 녀석 일본어 연습 상대냐. 웬만하면 가까이하지 말아야겠다.”

심기가 불편해져서 되도록 빨리 대화를 끝내고 싶을 것이다. 마찬가지다. 일본인도 외국인에게 똑같은 짓을 하고 있다. **외국인만 보면 영어 연습 상대로 만들어버린다. 그러니까 어설픈 영어 실력으로 네이티브 스피커(Native Speaker)처럼 유창하게 말하려 해서는 안 된다.**

돈을 벌기 위해 일본에 온 영어 강사는 ‘일본인의 영어’를 참고 들어줄 만한 인내심이 있다는 것만으로 시급 2,000엔을 받는다. 연습 삼아 일방적으로 영어를 떠들어대려면 돈을 내는 것이 예의 아닐까.

하지만 비즈니스 영어는 경우가 다르다. 목적은 영어가 유창해지는 것이 아니라 비즈니스를 성사시키는 것이다. 영어가 유창해져봤자 상대방에게 불쾌감을 줘서 비즈니스가 성사되지 않는다면 그야말로 본말전도다(本末顚倒, 중요한 것과 사소한 것이 바뀌었다).

다시 말하지만, 영어 학습의 목적은 유창하게 말하는 것이 아니라 상대방과 깊은 커뮤니케이션을 하는 것이다. ‘깊은 커뮤니케이션이란’ **상대방과 이야기를 나눔으로써 자신에 대해 깨달아가는 과정이다.**

이런 관점에서 생각해보자. 일본인이 영어로 대화를 나눌 때 갖춰야 할 능력은 무엇일까? **이야기하는 능력보다 중요한 것은 ‘상대방을 이야기하게 만드는 능력’이다. 그러려면 먼저 상대방의 말을**

적극적으로 들어줘야 한다. 이것을 '액티브 리스닝(Active Listening)'이라고 한다. '상대방을 이야기하기 편하게 만들어주는 기술'이라고도 할 수 있다.

액티브 리스닝은 정말 편리한 기술이다. 왜냐, 자신은 별로 이야기할 필요가 없다. 어려운 단어를 외울 필요도, 어려운 문장을 만들 필요도 없다. 그런데도 상대방은 깊은 커뮤니케이션을 나눴다는 만족감을 느끼게 된다. 마치 유도처럼 상대방의 힘을 끌어내어 깊은 커뮤니케이션을 나누고 동시에 비즈니스도 성사시키는 것이다.

"말이야 쉽지, 무슨 수로 상대방을 이야기하게 만들죠? 영어에 그런 표현이 있는 건 아닌가요?"

좋은 질문이다. 상대방을 이야기하게 만드는 기술, 그것은 바로 '동의의 테크닉'이다. 내가 실제로 나눴던 영어 대담을 분석해보았다. 그 결과, 내가 상대방의 이야기를 끌어내기 위해 사용한 표현은 달랑 이것뿐이었다.

OK

Wow

Yeah

Ah, I see

Ah, no

Uh-huh

Right, right

Sure, yeah!

Great!

일반적으로 상대방의 말에 동의할 때는 **'Absolutely, Exactly, Certainly'**라는 표현을 쓰기도 한다. 하지만 나는 쓰지 않았다. 두 시간이나 대담을 나눴는데 겨우 몇 가지 말만 되풀이한 것이다. 이래서야 너무 촌스럽지 않은가. 하지만 촌스러워도 대화는 이어졌다. 상대방은 최고로 만족하며 대화에 응해줬다. 뭐가 문제란 말인가?

게다가 상대방의 이야기를 들으면 그만큼 정보를 얻을 수 있다. 생각해보라. **자신이 이야기할 때는 아무 정보도 얻을 수 없다. 입을 다물고 있을 때만 정보를 얻을 수 있다.**

'빈 수레가 요란하다'라는 옛말처럼 별 볼 일 없는 녀석일수록 말이 많다. 말은 필요 없다. 그보다는 상대와의 유대감을 유지하며 신뢰감 속에서 대화를 즐겨야 한다. ['신뢰감을 높이며 대화를 이끌어나가는 방법'은 〈6장. 비즈니스 교섭〉에 자세히 설명하겠다.]

12

비즈니스 영어에 필요한 버리는 기술 2

정확하게 발음하려는 생각을 버려라

미국 노스캐롤라이나주의 애슈빌로 출장을 간 적이 있다. 쇼핑몰에 들러 **'Thank you, Sherrill'**이라고 점원의 이름을 불렀다. 그 순간부터 점원의 영어 레슨이 시작되었다. 내가 자기 이름을 잘못 발음했다는 것이다. 한마디로 '쉬'와 '시'의 구분에 대한 문제였다. 그녀는 몇 번이나 내 발음을 고치려고 애썼지만, 결국 내게는 불가능했다. 한숨이 절로 나오는 일이다.

그뿐만이 아니다. 나는 지금도 몇 가지 문제점을 안고 있다. V와 B는 그나마 구분할 수 있지만, L과 R의 구분은 종종 틀리곤 한다. 'Sit(앉다)'과 'Shit(제기랄)'의 발음도 구분하지 못한다. 그럼 발음을 교정할 생각이 있냐고? 대답은 **'NO'**다. 불편하지 않기 때문이다.

물론 정확하게 발음하는 편이 좋긴 하지만, 당신에게 그걸 강요할 생각은 없다. 이 점원처럼 사소한 부분에 집착하다 보면 당신의 귀중한 생각을 남에게 전할 수 없다. 이런 문제로 세계 진출을 바라는 당신의 결단이 늦어진다면 그게 훨씬 큰 손실이다.

발음은 정확하면 정확할수록 좋다. 그러나 발음에 지나치게 집착해선 안 된다. 미국의 대학에는 각국에서 온 유학생들이 많은데 그들이 사용하는 언어는 엄밀히 영어라고 할 수 없다. 특히 독일인과 파키스탄인의 영어는 도무지 알아들을 수가 없다. 그런데도 그들은 신경 쓰지 않는다. 오히려 자신만만하다. 일단 자기 생각을 당당하게 말하고 본다.

처음엔 '이런 영어를 어떻게 알아들어?'라고 생각했다. 그런데 웬걸. 다들 알아듣는 게 아닌가. 왜냐, 앞서 말했듯이 문장을 전부 알아들을 필요가 없기 때문이다. **단어를 한두 개쯤 빼먹어도 중요한 키워드 한두 개만 들리면 상대는 멋대로 의미를 재구성하여 이해해준다.** 오해가 생기면 다시 말해달라고 부탁하면 그만일 뿐, 의사소통에는 아무 문제가 없다.

나는 소니의 창립자인 모리타 아키오(Morita Akio)의 연설을 들은 적이 있다. 그가 미국에 초대받았을 때 한 연설이었는데, 솔직히 일본식 악센트(Accent)가 굉장히 심했다. 그런데도 그의 연설에 모든 청중은 기립박수를 쳤다. 언어란 감정을 전하는 것이지, 입으로 말하는 게 전부는 아니기 때문이다. 그러니 당신도 자신감을 가져라.

일본식 악센트를 없앨 필요는 없다. 오히려 일본식 악센트가 남아 있는 편이 좋다. 일본식 악센트가 없으면 교포 2세로 보이지만, 악센트가 있으면 2개 국어를 구사하는 인텔리(Intelligentsia, 지식인)로 보일 수 있다.

영어는 단어 하나하나의 발음보다 톤이 중요하다. 2차대전 후 무역상사를 설립했으며, 일본의 총리를 역임한 기시 노부스케(Kishi Nobusuke)의 사설 고문이었던 콘도 토타(Kondo Toda)는 이렇게 말했다.

"영어는 음악이다!"

훌륭한 생각이다. 영어를 할 때 노래하듯이 억양을 살려서 말하면 당신의 영어는 훨씬 '영어다워'질 것이다. 그럼 영어의 톤을 익히는 방법은 무엇일까? 지금까지 강조한 '살아 있는 영어'를 음독·낭독하며 연기하는 것이다.

톤 익히기에 도움이 될 만한 두 가지 힌트를 알려주겠다.

첫 번째 포인트는 '큰 소리로 말하는 것'이다.

그뿐이냐고? 그뿐이다. 이것이 가장 중요하다. 상대방에게 할 말을 영어로 전하기 위해서는 먼저 큰 소리로 말해야 한다. 애초에 일본어는 큰 소리로 말하는 언어가 아니다. 게다가 일본인은 영어에 콤플렉스마저 있다. 그래서 다들 작은 목소리로 '웅얼웅얼'한다.

그러면 어떻게 될까? 상대방은 당연히 이렇게 되묻는다.

"What?"

상대방의 얼굴엔 물음표가 가득하고, 당신은 조마조마한 마음에 자신감마저 상실한다. '내 말을 못 알아듣겠나 봐' 싶어 다시 말하지만, 목소리는 한층 더 작아지고 이런 상황이 되풀이된다. 악순환이다. 결국 '역시 난 안돼', '영어를 못해' 생각하며 '영어 콤플렉스'에 빠진다.

그럴 필요가 없다. **왜냐, 당신의 영어가 통하지 않는 게 아니다. 단순히 들리지 않는 것뿐이다.** 아무리 영어를 잘하는 사람이라도 마찬가지다. 모기만 한 작은 목소리로 말해봤자 상대방은 들리지 않는다. 특히 영어는 입을 확실하게 움직이고 큰 소리로 발음하는 게 필수다. 그러니까 '큰 소리'로 말해야 한다. 입을 크게 벌리고 분명하게 말해야 한다.

두 번째 힌트는 '목소리 톤을 한 옥타브 낮추는 것'이다.

내 입으로 말하기 뭣하지만, 이건 굉장한 힌트다. 목소리 톤을 낮추는 것만으로 발음에 자신이 생겨서 갑자기 영어를 잘하게 된 사람을 나는 몇 명이나 본 적이 있다. 그것도 발음 교정은 전혀 받지 않은 상태로. 대부분 일본인은 영어로 말할 때 긴장해서 필요 이상으로 목소리가 높아진다. 그런데 높은 목소리는 듣는 이의 귀에 거슬린다.

상대방이 불쾌감을 느끼면 끝장이다. 왜냐, 비즈니스에 대한 얘기를 나눌 여지가 없어서다. 그럴 때는 목소리를 한 옥타브 낮춰라. 그러면 곧 당신의 영어가 안정감 있게 변한다. 회화도 훨씬 차분해지고, 상대방은 당신에게 신뢰감을 느낄 것이다.

"판매 교섭을 할 때는 목소리를 한 옥타브 낮춰라."

이건 일본인이 모르는 것일 뿐, 미국에서는 비즈니스의 철칙이다. 물론 남성뿐 아니라 여성도 마찬가지다. 네이티브 스피커, 특히 유능한 비즈니스맨들은 목 안에서 목소리를 낸다. 좀 더 자세히 말하면 견갑골 부근의 가슴에서 목소리를 낸다. 그러면 굉장히 깊이 있는 목소리가 흘러나온다. 영어에는 그 목소리가 잘 어울린다.

그럼 일단 실험을 해보자. 몸의 어디에 의식을 집중하느냐에 따라 목소리의 질이 완전히 달라진다는 것을 느낄 수 있다. 먼저 콧소리부터 시작하자. '코'에 의식을 집중해서 목소리를 내면 코맹맹이 소리가 나온다. 마치 미키마우스 같은 목소리 말이다. **"Hello, I'm Mickey Mouse."** 만화처럼 멍청하게 들린다.

다음은 '입'에 의식을 집중하고 목소리를 내보자. 이것이 바로 일본인이 영어로 말할 때의 전형적인 목소리다. 작고, 음침하고, 자신감 없이 들리지 않는가. 마치 실연을 당했거나 초상집에 간 것 같은 목소리다.

이번에는 의식을 '목 안'에 집중해서 목 아래 부근에서 목소리를 내보자. 목소리가 한 옥타브 낮아지다가 점점 굵어진다. 어떤가? 깊이 있고 자신감 넘치는 목소리가 흘러나올 것이다. 차분하고 상대에게 신뢰감을 주는 목소리다. 영어에서는 이런 발음법을 빼놓을 수 없다.

영어는 음악과 같다. 크고 확실하게, 그리고 뱃속에서 우러나온 목소리로 노래하지 않으면, 당신의 마음은 누구에게라도 전해지지 않는다. 앞으로는 영어로 말할 때도 노래하듯 의식을 바꿔보자. 그 순간 당신의 영어는 비약적으로 정확하게 들리기 시작할 것이다. 장담한다.

지금까지 '비즈니스 영어에 필요한 버리는 기술' 여섯 가지를 이야기했다. 중요한 만큼 다시 확인해보자. 버리는 것에 대한 죄책감을 없애기 위해서, 또 실용적인 영어를 단기간에 배우기 위해서는 다음 여섯 가지 원칙을 따라야 한다.

첫째, 일상 회화를 버려라.
둘째, 전문 분야 외의 주제를 버려라.
셋째, 단어 실력을 키우려는 노력을 버려라.
넷째, 문법적으로 정확하게 말하려는 생각을 버려라.
다섯째, 유창하게 말하려는 욕심을 버려라.
여섯째, 정확하게 발음하려는 생각을 버려라.

우리는 학교 교육을 받으며 '시험을 위한 공부법'에 익숙해졌다. 그 학습은 제약과 규칙 속에서 진행된다. '철자가 틀렸다, 문법이 틀렸다, 그건 안 된다, 이건 안 된다…' 학생 때는 이런 공부법이 도움이 될지도 모른다. 그러나 시험을 봐야 하는 시절은 지나갔다. 다행히 지금은 당신을 채점하는 사람도 없다. 당신 자신을 포함해서 말이다.

아무도 채점하지 않는 영어 학습은 굉장히 즐겁다. 그리고 그 학습을 통해 얻는 열매는 더욱 달콤하다.

다음 장부터는 비상식적일 만큼 단기간에 비즈니스 영어를 배우기 위한 '5가지 스텝'을 구체적으로 설명하겠다.

CHAPTER 3

새로운 현실을 낳는 퍼스트 스텝

01

새로운 현실을 만드는 메커니즘

'비상식적일 만큼 단기간에 영어를 배우는 것'

'구체적으로는 1년 안에 비즈니스 영어를 익히는 것'

이 2가지가 이 책의 목표다. 이 대담한 목표를 그저 말로만 해서야 되겠는가? 1년 안에 비즈니스 영어를 익히다니 허풍이 좀 심하다고? 하지만 나는 진지하다.

원래 외국어를 습득하는 건 수많은 기술 중에서도 난이도가 매우 높다. **상식적으로 실제 쓸 수 있는 비즈니스 영어를 익히려면 최소한 3년은 걸린다. 평생 그 정도 레벨에 도달하지 못하는 사람도 많다.**

그런데 1년 안에, 그것도 바쁜 일상생활을 보내며 비즈니스 영어를 익힐 수 있다니. 무모한 선언이다. 하지만 나는 그 무모한 것에 도전해볼 생각이다.

나는 옛날부터 이런 말을 듣곤 했다.

"샐러리맨을 그만두고 독립해서 3년 안에 연 수입 1억 엔을 넘기는

건 무리다.”

“지금보다 10배나 빨리 책을 읽는 것은 무리다.”

“책을 써서 베스트셀러 작가가 되는 것은 일부 재능 있는 사람들 뿐, 평범한 사람에게는 무리다.”

얼핏 보기에 무리인 것 같은 일을 ‘할 수 있다’라고 선언한 후부터 나는 통렬한 비판을 받았다. 독자들을 부추겨서 돈을 버는 건 결국 저자뿐이라고 말이다.

하지만 내 책이 출판된 지 몇 년이 지난 지금, 독자들 중에 ‘무리’라고 여겨졌던 일을 성공한 사람들이 속출하기 시작했다. 지금도 나는 보인다. 이 책을 읽고 있는 독자들 가운데 많은 사람이 영어의 즐거움과 자신의 가능성을 깨닫고 세계에서 활약할 것이라는 사실을.

내게는 느껴진다. 일본의 훌륭함을 해외에 전파할 사람이 나타날 것이. 정말이냐고? 솔직히 확신은 없다. 이 책을 읽고서 아무 노력도 없이 영어를 잘하게 된다면, 그건 기적이다. 나는 기적을 일으키려는 것이 아니다. 내가 사기꾼이 될지, 또는 영웅을 키워낸 현자가 될지는 이 ‘CHAPTER 3’에 달려 있다.

내가 하고 싶은 말은 당신이 ‘CHAPTER 3’를 읽고 나서 몇 가지 질문에 대답하면, 영어를 실용적으로 구사할 수 있게 될 가능성이 비약적으로 높아진다는 것이다.

어떻게 단언할 수 있냐고? 오해를 무릅쓰고 말하자면 나는 ‘새로운 현실을 만드는 메커니즘’을 알고 있기 때문이다. 꼭 ‘영어' 뿐만이 아니다. **세상에는 꿈을 이루는 메커니즘이 존재한다. 사람들은 꿈을 이루려면 노력이 필요하다고 말한다. 그러나 필요한 것은 노력이 아니다.**

전 세계적으로 인기를 얻은 영화 〈매트릭스〉에는 이런 장면이 나온다. 주인공 네오는 적을 쓰러뜨리기 위해 빨리 움직이려고 필사적으로 노력한다. 그런 네오에게 모피어스는 이렇게 말한다.

"빨리 움직이려 하지 말고, 빨리 움직일 수 있다는 걸 깨달아라."

이 말을 영어에 적용시키면 **"영어를 할 수 있게 되려 하지 말고 영어를 할 수 있다는 걸 깨달아라."**

영어를 할 수 있게 되려고 의식하는 것은 '영어를 할 수 없다는 현실'에 사로잡혀 있음을 뜻한다. 이런 현실에서 벗어나지 못하는 한 영원히 영어를 잘할 수 없다.

지금까지의 낡은 현실에서 벗어나 영어를 잘하는 게 당연한 '새로운 현실'로 옮겨가야 한다.

노력해서 현실을 바꾸려 하지 말라. 영어를 할 수 있다는 현실에 눈을 떠라. 당신은 영어를 할 수 있다. 그 사실을 떠올리기만 하면 된다. 새로운 현실을 만들어내는 열쇠를 설명하겠다. 당신의 영어 수준이 '레벨 3'이라고 했을 때, 이 책의 목표는 '레벨 3'에서 '레벨 10'으로 올리는 것이다.

영화 〈매트릭스〉의 네오는 '레벨 3'에서 '레벨 10'으로 단숨에 점프한다. 그에게는 최종 도착 지점만이 주어진다. 그리고 네오는 그곳에 있는 자신에게로 현실을 옮겨버린다. 즉 의식을 점프시켜서 중간 과정을 전부 건너뛴 것이다. 의식을 점프시키는 방법은 나중에 설명하겠다. 일단 중간 과정을 효율적으로 단축하는 방법을 알아보자.

'레벨 3'에서 '레벨 10'에 이르는 과정을 최대한 단축하려면 어떻게 해야 할까? 이 과정을 마라톤 코스라고 한다면 우리가 원하는 것은 이 코스의 최단 거리를 최단 시간에 달리는 것이다. 그러려면 무엇이 필요할까? 적어도 다음 3가지는 꼭 필요하다.

첫째, 스타트 지점은 어디인가?

둘째, 골인 지점은 어디인가?

셋째, 중간 코스는 어떤 상태인가?

먼저 '스타트 지점'은 당신의 현재 영어 실력이다. 사람마다 스타트 지점은 다르겠지만 '레벨 3'으로 잡은 것은 대부분 의무교육을 통해 알파벳이나 기본적인 영어 단어와 문법은 알고 있기 때문이다. 또한, 당연히 '골인 지점'과 '중간 코스'의 상태를 알아야 한다. 그런데 문제는 너무나 당연해서 많은 사람이 아무 생각 없이 달리기 시작한다는 것이다.

달리기 전에 골인 지점과 코스를 살펴보는 것은 매우 중요한 일이다.

골인 지점을 잘못 알면 10년을 공부해도 영어를 잘할 수 없다. 또 코스를 달릴 때 무슨 일이 생길지 모른다면 아무리 의지가 강한 사람도 좌절하고 만다.

그러면 먼저 영어를 공부하는 최종 목표, 즉 '골인 지점'에 대해 생각해보자.

02

세간의 상식에 얽매여 있으면 미궁에 빠진다

당신의 '골인 지점'을 파악하기 위한 질문이다. 물음에 답하라.

Q. 당신은 영어를 배우면 무엇을 하고 싶은가?

① 영화를 자막 없이 보고 싶다.

② 영어 검정시험 1급 취득과 TOEIC 869점 이상 받고 싶다.

③ 외국인을 애인으로 사귀고 싶다.

④ 외국에 유학을 가거나 외국에서 살고 싶다.

⑤ 원서를 읽으며 최신 정보를 얻고 싶다.

⑥ 해외 비즈니스로 큰돈을 벌고 실적을 올리고 싶다.

①~③을 고른 사람은 미안하지만 솔직하게 말하겠다. 당신이 영어로 비즈니스를 하고 싶은데도 ①~③을 바라면서 영어를 공부한다면 미궁(迷宮, 복잡한 문제로 해결 불가능한 상태)에 빠

질 가능성이 높으니 주의하기 바란다. 당신은 불필요한 좌절과 콤플렉스를 얻게 될 것이다. 그 이유는 자신이 가장 원하는 것(바람이나 목표)을 제대로 모르고 있어서다. 자신의 바람이나 목표를 파악하지 못한 채 달리기 시작하면 모든 노력은 헛수고로 끝나기 마련이다.

예를 들어 '영화를 자막 없이 보고 싶다'라는 대답의 전제에 자리 잡은 것은 '영화를 자막 없이 볼 수 있을 만한 실력이면, 어떤 상황에서도 영어로 애를 먹지 않을 것'이라는 생각이다. 과연 이 전제는 올바른 것일까? 앞서 말했듯이 나도 자막 없이는 영화를 볼 수 없다.

자랑은 아니지만, 나는 미국에서 대학원을 두 군데나 졸업했고, 아무 문제 없이 해외 비즈니스를 성사시킬 만한 실력을 갖췄는데도 영화 속 대사를 알아들을 수 없다.

왜냐, 영화의 대사는 비즈니스와 아무 관계가 없으며, 일상 회화와도 달라서다. 예전에 대학 캠퍼스에서 한 대학원생에게 뭘 연구하는지 물어본 적이 있다. 그러자 그는 '영화 대사'를 연구하고 있다고 했다. 내가 의아한 표정으로 왜 그런 걸 연구하는지 묻자 그는 이렇게 대답했다.

"영화 대사는 일상 회화와는 전혀 달라요. 그래서 그 차이를 연구하고 있습니다."

즉 영화에는 대학원생이 연구 과제로 삼을 만큼 일상생활에 쓰이

지 않는 말이 의도적으로 사용되고 있다는 뜻이다.

영화에는 리듬감 있는 속어와 소설에나 나올법한 미사여구(美辭麗句)가 가득 담겨 있다. 영화에서 사용되는 말을 전부 이해하려면, 그 순간부터 아무것도 이해하지 못하게 된다. 빨리 움직이려다 못 움직이게 되는 것과 마찬가지다.

게다가 사실 영어를 못해도 자막 없이 영화를 볼 수 있다. 자막 없어도 영화의 스토리는 어느 정도 이해가 되는 법이다. 인간관계나 모든 소통에서 언어가 차지하는 비중은 7퍼센트에 불과하다. 나머지 93퍼센트를 차지하는 것은 표정이나 몸짓, 목소리 톤 같은 '비언어 의사소통(Nonverbal Communication)이다. 단어보다는 표정이나 몸짓, 자세, 음성 같은 비언어 영역에 주의를 기울이는 편이 내용을 이해하는데 훨씬 도움이 된다.

일본어도 마찬가지다. 예를 들어 시대극을 보면 간혹 들어본 적도 없는 말이 나온다. 그 말을 일일이 머리로 해석하지는 않는다. 모르는 부분은 넘겨버리고, 아는 부분만 연결해서 의미를 재구성하는 것이다. 하지만 이상하게도 영어의 경우, 모든 단어를 하나하나 이해하려고 한다.

그건 뮤지컬도 마찬가지다. 한 친구는 뉴욕에서 뮤지컬을 봤는데 하나도 못 알아들었다며 충격을 받았다고 한다. 그렇게 열심히 공부했는데 자신의 영어는 통용되지 않는다며 슬퍼하는 것이다. 가엾게도… 그 친구 모른다. 나도 뮤지컬은 못 알아듣는다는 사실을. 뮤지컬은 몇 번을 봐도 무슨 소린지 도통 알 수가 없다.

우리 둘의 차이는 간단하다. 그 친구는 알려고 노력하고, 나는 노력하지 않는다. 노력해도 어차피 모르기 때문이다. 하지만 느낄 수는 있다. 그걸로 충분하다. 같은 뮤지컬이라도 번역된 뮤지컬을 보며 단어 하나하나를 이해하려고 노력하는 사람이 있을까? 당신은 가부키를 보러 가서도 단어 하나, 문장 한 구절을 못 알아들으면 나는 일본어를 못한다고 낙담하는가?

많은 사람이 영어를 배우기 시작한 순간부터 '영어 듣기평가 시험 상태'에 들어간다. '영어=시험', 그래서 정확하게 알아들으려고 노력한다. 문법적으로 틀리지 않게 말하려고 애쓴다. 왜냐, 안 그러면 점수를 받지 못하니까. 그런 공포와 긴장 속에서 단어 하나하나에 신경을 곤두세우는 것이다.

결국 '왜 나는 영화나 뮤지컬에 나오는 말을 못 알아들을까?' 식으로 자기 영어 실력에 낙담하고, 영어 콤플렉스를 갖게 된다.

사회인이 되면 당신의 영어가 얼마나 정확한지 채점하는 사람은 아무도 없다.

03

가장 짧고 빠른 길로 가라

물론 영화를 좋아하는 사람은 영화를 자막 없이 보고 싶을 것이다. 그 꿈이 진실이라면 앞서 말했듯이 그 분야를 파고들어 영화 대사를 외우는 것이 가장 좋은 학습법이다. 그러나 당신의 진정한 꿈이 영어로 비즈니스를 하는 거라면, 자막 없이 영화를 보려고 공부하는 것은 지나치게 우회적인 방법이다. 일본에서 중국에 갈 때 태평양을 지나 지구를 한 바퀴 도는 것이나 마찬가지다.

한편 '외국인 애인을 사귀고 싶다'라는 대답 역시 엄청난 착각이다. 당신은 '영어 실력=매력 향상=금발의 미녀·미남'이라고 생각하는가? 또 미녀·미남의 인기를 얻을 수 있다고 믿는가? 솔직히 고백하면, 나도 20대 시절에는 그런 꿈을 품고 있었다. 외국인과 사귀려면 영어를 잘해야 한다는 생각에 필사적으로 공부했다. 그 후 용기를 내서 여성에게 말을 걸고 데이트를 신청하기까지 무려 1년이나 걸렸다. 하지만 금발에 푸른 눈의 애인은 생기지 않았다.

"그야 당신이 남자로서 매력이 없어서겠지."

이렇게 잔인하게 평가내리는 사람도 있을 것이다. 그것도 사실이다. 하지만 굳이 변명하자면, 미국에서 아시아 남성은 인기가 없다. 정말이다. 아시아 남성은 아무리 영어를 잘해도 좀처럼 이성으로 바라보지 않는다. 특히 일본인 남성은 매춘 여행이나 다니는 남성우월주의자라는 이미지가 강하다. 이미 안 좋은 이미지를 갖고 있어서 고생이 이만저만 아니다.

반면 일본인 여성은 인기 만점이다. 영어를 못해도 인기가 많다. 한마디로 '인기가 있냐, 없냐'의 차이는 영어 실력으로 결정되지 않는다. 그러니까 영어를 잘하면 인기가 많아질 거라는 환상을 품고 영어를 공부해도, 그 노력은 헛수고로 끝나기 마련이다.

그런데도 외국인 애인을 사귀는 것이 당신의 진정한 꿈이라면 러시아인이 있는 나이트클럽에 가라. 그곳에서 금발의 외국인과 함께 있는 상황을 만드는 편이 꿈을 이루는 데 훨씬 도움이 된다. **좀 극단적인 예를 든 것은 사과하겠다. 내가 하고 싶은 말은 자신의 꿈을 정확하게 파악하라는 것이다.**

'○○할 수 있었으면 좋겠다'라는 애매한 꿈을 품고 달리기 시작하면 노력은 헛수고로 끝난다.

당신의 진정한 꿈을 정확하게 파악하기 위해 조금만 시간을 투자하기를 바란다. 그러면 그 꿈을 실현할 수 있는 가장 빠른 길이 보이기 시작할 것이다.

영화를 자막 없이 보고 싶으면, 영화 대사를 열심히 공부해라. 외국인 애인을 사귀고 싶으면, 외국인과 만날 수 있도록 연구해라. 영어 자격증을 따고 싶으면, 과거 출제 문제를 집중적으로 분석해라. 학교 시험에서 좋은 점수를 얻고 싶으면, 문법·철자·단어·독해력을 길러라. 그리고 해외 비즈니스에 성공하고 싶으면, 자신에게 맞는 비즈니스 기회를 찾아서 접근을 시도해라. 이처럼 꿈을 정확히 파악하고 실현에 도달하는 길을 최단 거리로 만드는 게 필요하다.

영어를 완벽하게 익히려면 본래 방대한 양을 공부해야 한다. 만약 샛길로 빠지면 목표에 도달하기까지 10년은 걸린다. 그러나 대부분 사람은 10년이나 인내심을 유지하지 못한다. 그래서 많은 사람이 아무리 공부해도 영어를 못하는 것이다.

그런 사태를 막기 위해서는 10년이 걸리는 마라톤을 1년 안에 끝나는 단거리 경주로 바꿔야 한다.

물론 지식의 폭을 넓히기 위해서는 가끔 샛길로 빠질 필요도 있다. 하지만 그때마다 '골인 지점'을 머릿속에 떠올리면 샛길이 미궁으로 변하지는 않을 것이다.

04

단계식 사고법 VS 결과선취식 사고법

'10년이 걸리는 마라톤을 1년 만에 끝나는 단거리 경주로 바꾸려면 어떻게 해야 할까?'

좋은 질문이다. 막대한 시간이 필요한 영어 학습에 있어 매우 중요한 문제다. 예를 들어 설명하겠다. 언젠가 우리 사무실에 내 친구가 놀러 왔다. 이름은 편의상 '아오시마'라고 하겠다. 아오시마는 내게 단기 어학연수를 다녀올 예정이라고 말했다. 그 이유를 물었더니 장래 외국 회사와 거래를 하고 싶은데, 그러려면 영어가 필요하니 공부하기 위해서라고 대답했다.

훌륭한 마음가짐이다. 더 나아지고자 하는 마음이 있는 사람을 보면 나는 늘 응원하고 싶어진다. 다만 선배로서 한마디 조언을 해줘도 될까?

아오시마 같은 사람들은 대부분 영어를 배워서 비즈니스에 활용하기까지 굉장히 시간이 오래 걸린다. 왜냐, 큰맘 먹고 어학연수를 가봤자 어학원에는 일본인밖에 없기 때문이다. 단기 어학연수는 추억 만들기에는 그만이다. 그러나 비즈니스와 연결하려면 뭔가 연구가 필요하다.

또 다른 예를 들어보겠다. 샐러리맨인 '하시모토'는 직장을 그만두고 창업에 앞서 영국으로 3개월간 어학연수를 떠났다. 그는 대학 졸업 후 영어를 공부해본 적이 없었다. '영어'라는 말만 들어도 꽁무니를 뺐기 때문에 거의 한마디도 못하는 수준이었다.

그런데 하시모토의 어학연수 목적은 '해외 비즈니스'였고, 해당 분야도 미리 정해둔 상태였다. 그는 신경 언어 프로그래밍(NLP)과 자기 계발에 흥미가 있었다. 그래서 아직 일본에 알려지지 않은 최첨단 노하우를 지닌 사람이나 회사를 찾아 연수기간에 접근을 시도해볼 생각이었다.

그는 자기 계발의 일인자인 앤서니 라빈스(Anthony Robbins), 그리고 자신이 감명 깊게 읽은 책의 저자인 앤 존스(Ann Jones)에게 이메일을 보냈다. 문장은 어학원 교사에게 감수를 받았다. 앤서니 라빈스는 담당자에게 답장이 왔을 뿐, 자신과 직접 연락이 되지는 않았다.

하지만 정말로 만나고 싶었던 앤 존스는 본인이 직접 답장을 보내왔다. 게다가 전화를 해달라는 앤 존스의 요청에 전화 통화까지 했다. 물론 앤 존스의 말을 알아들을 수 없었고, 말도 거의 할 수 없었다.

과연 어떻게 되었을까? 앤 존스는 전화로는 도저히 안 되겠다고 느꼈는지 자신의 사무실로 찾아오라고 말했다. 그나마 날짜와 시간은 간신히 알아들을 수 있었다. 그래서 사무실로 찾아갔다. 그리고 몇 시간 후, 하시모토는 자신의 열의를 손짓발짓으로 전했다. 그 결과, 그는 앤 존스에게 일본어 번역을 포함하여 자신의 모든 걸 맡길 테니 해보라는 약속을 받았다.

그때까지 걸린 시간은 과연 얼마나 될까? 앤 존스의 책을 읽고 이메일 보내기를 결심한 것까지 한 달, 이메일을 작성하는 데 걸린 시간은 하루, 그리고 답장을 받고 만나러 갈 때까지 3일이 걸렸다. 즉 가장 시간이 오래 걸린 건 '결심할 때'까지다.

이렇듯 새로운 현실은 결심하지 않으면 찾아오지 않는다. 그러나 일단 결심하고 작은 한 걸음을 내디딘 순간, 새로운 현실은 나에게 먼저 다가온다.

아오시마와 하시모토, 두 사람을 비교하면 '사고법'에 따라 전혀 다른 결과가 나타난다는 것을 알 수 있다.

아오시마는 이렇게 생각했다.

'영어를 배운다 ➡ 친구를 사귄다 ➡ 인맥을 쌓는다 ➡ 해외 정보가 들어온다 ➡ 비즈니스 기회를 얻는다.'

이것은 영어를 기초부터 쌓아 올리는 '단계식 사고법'이다.

반면 하시모토는 이렇게 생각했다.

'비즈니스 기회를 찾는다 ➡ 접촉을 시도한다 ➡ 영어를 쓸 수밖에 없다 ➡ 비즈니스 시작과 동시에 영어도 할 수 있게 된다 ➡ 비즈니스로 신뢰가 쌓이고 우정으로 발전한다.'

이것은 먼저 자신의 꿈을 실현하는 데 초점을 맞춘 '결과선취식 사고법'이다.

단계식 사고법은 미궁에 빠져 꿈이 실현되지 않을 가능성이 크지만, 결과선취식 사고법은 영어를 못해도 꿈을 이룰 가능성이 있다. 게다가 시간을 낭비하지도 않는다. 이것이 영어를 도구로 사용한다는 말의 본질적인 의미 아닐까?

그럼 당신이 결과선취식 사고법으로 영어를 배우고 싶다면 어떻게 해야 할까? 먼저 '어떤 결과를 얻고 싶은지' 자신의 꿈을 정확하게 이미지화하라. 그 꿈을 세상의 상식에 좌우되지 않는 자신의 진정한 욕구로 발전시켜야 한다.

지금부터 결과선취식 사고법에 도움이 되는 중요한 질문을 하겠다. 이 질문은 대답한 순간 발상이 자극되고, 현실이 바뀌기 시작하는 '마법의 질문'이다. 일단 질문에 대답한 후에 다음 내용을 읽기 바란다.

대부분 사람은 책에 이런 질문이 나오면 건너뛰고 다음 페이지를 읽으려고 한다. 그런 당신의 마음을 나도 잘 안다. 그러나 이 질문은 정말로 생각해볼 가치가 있다. 게다가 5분도 걸리지 않고 대답할 수 있다. 하지만 그 5분이 당신의 영어 학습 기간을 몇 년이나 절약해줄 것이다.

반드시 지금 당장 시작해라. 나중으로 미루다 보면 결국 잊어버리기 마련이다. 펜을 준비하고. 미간을 찡그리고 있지는 않은가? 마음을 편하게 가져라.

그럼 고민하지 말고 직감적으로 떠오른 대답을 적어보자.

마법의 질문 1

Q1 자는 동안 기적이 일어나서 아침에 눈을 떠보니 비즈니스 영어가 100퍼센트 만족할 만한 수준이 되어 있었다. 그 수준이란 어느 정도인가?

Q2 주위 사람들은 당신의 변화를 어떻게 눈치챘는가?

Q3 당신은 그때 어떤 일을 하고 있었는가? 뭔가 보이는 것은 없었는가? 들리는 것은 없었는가? 느낌은 어땠는가?

과연 당신은 어떤 대답을 했을까? 의외의 대답을 한 사람도 있고, 대답이 전혀 떠오르지 않는 사람도 있을 것이다. 대답이 떠오르지 않는 사람은 언젠가 때가 되면 떠오를 거라고 마음 편히 생각하자. 이 질문의 포인트는 기적이 일어났다는 것. 즉 아무 제약 없이 생각하는 것이다.

대부분 사람은 자신의 영어 실력은 이 정도니까, 이 정도 비즈니스밖에 못한다고 처음부터 자신의 가능성을 막아버린다. 하지만 1년 안에 달성할 수 있는 일은 한정되어 있을지 몰라도, 5년 안에 얼토당토않은 꿈을 이루는 것은 절대로 불가능하지 않다. 인간에게는 그만한 힘이 있다. 그 한계를 정하는 건 오직 자기 자신뿐이다.

당신의 발상을 자극하기 위해 몇 가지 대답을 예로 들겠다.

- 청중들이 꽉 찬 카네기 홀에서 영어로 연설을 한다.
- 내가 쓴 책이 영어로 번역되어 세계적인 베스트셀러가 된다.
- 달라이라마와 함께 세계를 순회하며 강연을 한다.
- 사업이 크게 성공하여 〈타임지〉 특집 기사로 실린다.
- 내 분야에서 국내 최고의 권위자가 되어 각국의 중요 인물과 긴밀한 교제를 한다.

이렇게 자신의 꿈을 직접 적어 보면, 지금은 망상에 가깝게 느껴질지도 모른다. 하지만 5년 후 꿈을 적은 페이지를 다시 펼쳐보기를 바란다. 요즘은 꿈을 이루는 속도가 매우 빨라졌다. 그러니까 이 책에 쓴 꿈 이상의 선물이 당신에게 주어질 가능성도 얼마든지 있다.

05

영어는 당신에게 정말로 필요한 도구인가?

혹시라도 영어를 못하면 앞에서 적은 꿈이 이루어지지 않는다는 착각에 사로잡힌 사람도 있을지 모른다. 그런 착각에 사로잡혀 있으면 영어가 도구가 아닌 '목적'이 되어버릴 위험이 있다. 잘 생각해보기 바란다. 당신이 만족할 만한 상황을 이룰 수 있는 최소한의 영어 실력은 과연 어느 정도인가? 어쩌면 영어는 당신의 꿈을 이루는 데 필요한 본질적인 기술이 아닐지도 모른다.

예를 들겠다. 한번은 일본의 세계적인 유통업체인 야오한 그룹의 와다 가즈오(Wada Kazuo) 회장을 만난 적이 있다. 그는 세계 각국에서 슈퍼마켓을 경영하고 있으며, 〈뉴스위크지〉의 커버를 장식했던 국제적인 비즈니스맨이다.

나는 그의 영어가 유창할 것이란 생각에 이렇게 물어보았다.

"영어는 어떻게 공부하셨습니까?"

“전 영어를 못합니다.”

“그런데도 해외에 진출하신 겁니까?”

“네, 국내는 이미 슈퍼마켓이 과잉 경쟁 상태였으니까요.”

“그럼 영어는 어떻게 하셨습니까?”

“아, 통역을 데려갔습니다.”

통역이라니… 순간 맥이 빠졌다. 하지만 그래도 상관없지 않을까? 영어를 못해도 통역을 고용하면 연간 매상 3,000억 엔 규모의 유통 그룹을 만들 수 있는 것이다. 와다 회장 같은 사람을 보고 있자면, 결국 우리는 세계에 진출하지 못하는 이유를 무조건 '영어 탓'으로 돌리는 건 아닌가 싶은 생각도 든다.

물론 영어로 비즈니스를 하는 것은 굉장히 즐거운 일이다. 인연이 있어서 이 책을 구입해 읽고 있는 당신과 부디 그 즐거움을 함께 나누고 싶다. 하지만 솔직히 말해서 영어가 모든 사람에게 필요한 기술은 아니다. 어쩌면 와다 회장과의 대화에서 영감을 얻어 '자신에게 영어는 필요 없다'라는 사실을 눈치챈 사람도 있을 것이다.

그래도 상관없다. 아니, 상관없기는커녕 매우 훌륭하다. 왜냐하면, 영어를 공부하지 않아도 꿈을 실현할 방법을 깨달은 셈이니까 말이다. 이제 당신은 영어 공부에 필요한 막대한 시간을 절약할 수 있다. 일본인은 영어를 배워야 한다는 의무감과

근거 없는 영어 콤플렉스에서 벗어나야 한다.

한편 '내게는 역시 최소한의 영어 실력이 꼭 필요하다', '영어를 배우면 가능성이 크게 넓어진다'라는 사실을 새삼 깨달은 사람도 있을 것이다.

이처럼 비즈니스 영어를 배우기로 새롭게 결의를 다진 사람을 위해 꿈을 더 쉽게 이룰 수 있는 방법을 가르쳐주겠다. 기억하고 있는가? 결심하기까지는 시간이 걸린다. 그러나 일단 결심한 후에는 새로운 현실이 당신에게 다가온다.

이제 '바람(Wish)'을 '욕구(Want)'로 바꿔 '계획(Plan)'하는 단계로 나아가보자.

06

비상식적인 영어 활용법 스텝 1

미래선취의 이미지화
: 실현하기 쉬운 목표 설정법

지금까지의 과정을 통해 당신도 영어 학습의 '최종 골인 지점'이 어렴풋이 보이기 시작했을 것이다. 이 바람을 욕구로 발전시키고, 다시 '뚜렷한' 목표로 바꿔야 한다. 왜 뚜렷한 목표를 설정해야 하는가? 인간의 우뇌(잠재의식)는 적절한 목표를 설정하면 그 목표를 실현할 때까지 계속해서 움직이기 때문이다(목표는 추진력은 되지만, 조정력은 되지 않는다. 이점을 잘 파악해서 목표가 필요한 시기도, 잊어야 할 시기도 있다.).

인간의 뇌를 컴퓨터에 비유해보자. **일단 결심을 하고 나면 우뇌는 24시간, 365일, 목표 실현을 위해 필요한 정보를 찾는다.** 우뇌의 정보처리 속도는 1초에 1,000만 비트 이상이다. 이것은 흡사 뇌의 검색엔진에 목표를 입력하는 것과도 같다. 일단 검색엔진에 목표를 입력하면, 검색엔진은 막대한 정보가 축적된 하드디스크와 인터넷에서 목표를 달성에 필요한 관련 정보를 뽑아

낸다. 좌뇌는 이 검색 결과를 비추는 모니터라 할 수 있다.

이처럼 당신이 의식적으로 노력하지 않아도 뇌는 꿈을 실현하는 데 필요한 정보를 계속해서 수집한다. 따라서 목표를 향해 나아갈 것을 결심한 순간, 그것에 도움 되는 일들이 우연처럼 빈번히 발생하게 되는 것이다.

이토록 성능이 뛰어난 '뇌'라는 컴퓨터를 지니고 있는데도, 어째서 꿈을 실현하는 사람과 그러지 못하는 사람이 생기는 것일까? 극단적으로 말하면 그 차이는 '목표를 얼마나 적절하게 설정하는가'이다. 검색엔진에 적절한 키워드를 입력하지 않으면 검색은 불가능한 것과 같다.

뇌의 메커니즘을 생각해볼 때 적절한 목표를 설정하고 작은 한 걸음을 내디딘 순간, 꿈이 실현될 가능성은 비약적으로 높아진다. 게다가 그 정밀도는 목표를 좇는 자동추적 미사일과도 같다.

예를 들겠다. 나는 사장이기 때문에 사원들의 실적을 평가한다. 우리 회사는 3개월에 한 번씩 사원들의 실적을 평가하기 위한 '목표 설정·실적 평가 시트'가 있다. 이것을 보면 굉장히 재미있다. 유능한 사원과 무능한 사원의 차이는 무엇일까? 단순하다. 실적이 부진하고 평가가 좋지 못한 사원은 3개월 전에 세운 목표가 애매하다. 그에 비해 실적이 우수하고 평가가 좋은 사원은 목표가 뚜렷하다.

뚜렷한 목표를 세운 사람은 좋은 결과를 얻을 가능성이 높다.

즉 미래는 '미래를 이미지화'한 순간부터 결정되는 것이다.

다시 말해서 실적이 우수한 사람은 자신이 1년 후, 3년 후, 5년 후에 어떻게 되어 있을지 뚜렷하게 떠올릴 수 있다. 그런 의미에서 생각한 것은 실제로 이루어지는 법이다.

"말도 안 돼. 생각한 것이 실제로 이루어진다면 성공 못 할 사람이 어디 있습니까?"

그렇게 믿고 있는 고객이 내게 화를 내며 주장했다. 그리하여 논쟁이 벌어졌다.

"당신은 생각한 것이 실현되지 않는다고 생각하는군요?"

"그래요, 실현될 리가 없습니다!"

"실현되지 않는다고 생각한단 말이죠? 그럼 당신의 목표는 실현되지 않겠죠."

"……"

"그럼 생각한 것이 실현되는 것 아닙니까?"

뭐, 농담은 이쯤에서 그만두겠다. 어쨌든 뚜렷하게 생각하면 생각할수록, 생각한 것은 실현된다. 그리고 뚜렷한 목표를 설정하는 건 미래를 결정하는 것이다. 그 목표를 종이에 적는 순간, 당신의 가능성은 순식간에 넓어진다.

07

비상식적인 영어 활용법 스텝 1

SMART의 원칙

꿈을 응시하며 얻고 싶은 결과에 대해 생각하는 시간은 인생에서 가장 귀중한 시간이다. 딱 30분만 목표에 대해 생각해보라. 그리고 종이에 적어보라. 혼자 집중할 수 있는 아주 잠깐의 시간, 소란스러운 카페 안에서 펜을 들고 마주하는 하얀 종이, 수많은 위대한 업적이 이런 작은 한 걸음에서 시작되었다.

하얀 종이를 마주할 때는 약간의 요령을 알아두는 게 좋다. 그러면 목표를 실현하는 속도가 전혀 달라질 것이다. 실현 가능성을 높여주는 형식으로, 목표를 적는 방법을 이야기하겠다.

목표를 더욱 쉽게 실현해주는 원리 원칙이 있다. 바로 'SMART의 원칙'이다. 이 원칙을 이 책에서는 필요한 부분만 간단히 소개하겠다.

SMART는 다음 영어 단어의 첫 글자를 딴 약어다.

S는 'Specific(구체적일 것)'

M은 'Measurable(측정할 수 있을 것)'

A는 'Agreed upon(동의할 수 있을 것)'

R은 'Realistic(현실적일 것)'

T는 'Timely(기일이 명확할 것)'

즉 이런 뜻이다. **지극히 구체적으로 설정할 것. 남을 위해서가 아닌 자신이 정말 납득할 만한 목표일 것. 현실적으로 달성할 수 있는 황당무계하지 않은 수준일 것. 최종 기간을 확실하게 정할 것.** 이렇게 설정하면 도중에 좌절하지 않고 목표를 달성할 수 있다.

앞서 말한 꿈에 대한 질문과 큰 차이는 '달성 기간'이다. 꿈은 인생의 목표이자 욕구이므로 실현할 때까지 몇 년이 걸려도 괜찮다. 그에 비해 목표는 단기간에 욕구를 실현하는 것이다. 보통 1년 안, 길어도 3년 안에 실현할 수 있는 목표를 세워야 한다.

목표는 꿈을 달성하기 위한 지표라고 할 수 있다.

예를 들어 청중이 꽉 찬 카네기 홀에서 영어로 연설하고 싶다는 꿈을 생각해보자. 훌륭한 꿈이지만, 영어를 거의 모르는 사람이 1년 안에 달성할 수 있는 목표는 아니다. 물론 절대로 불가능한 것은 아니다. 그러나 대부분 도중에 좌절해버리지 않을까.

이런 좌절을 피하기 위해서는 'SMART의 원칙'에 따라 목표를 명확하게 설정해야 한다. 이 원칙에 따라 목표를 설정한 예시를 들겠다.

- 자신의 전문분야에 필요한 미국의 최첨단 지식을 얻기 위해 반년 안에 원서 30권을 읽는다.
- 아직 일본에 소개되지 않은 최첨단 기술과 그 기술을 제공하는 회사를 찾아 1년 안에 계약을 성사시킨다.
- 자신이 결정한 회화 테이프 중에서 마음에 드는 부분을 ○월 ○일까지 암기한다.

목표는 얼마든지 세워도 좋다. 몇 개라도 좋으니 생각나는 대로 적은 후, 우선순위가 낮은 것부터 지워나가는 것도 좋은 방법이다. 목표를 설정할 때는 자신뿐 아니라 적어도 세 명 이상에게 도움이 될만한 것으로 생각하는 게 좋다. 또한, 자신의 능력을 추구할 때도 되도록 많은 사람에게 도움을 줄 수 있는 방향을 모색하는 편이 좋다. 즉 모두가 잘될 수 있는 윈윈(Win-Win) 상황을 모색하는 것이다.

'저 얄미운 라이벌 회사를 90일 안에 무너뜨린다' 같은 목표는 안 된다는 말이다. 남을 저주하면 자신도 저주받는다는 말이 있다. 자신이 한 짓은 결국 자신에게 돌아오는 것이 세상의 법칙이다. 잠재의식은 강력하므로 파괴적인 일도 해치울 수 있다.

따라서 자신의 자아를 충족시키며 세상에 도움이 될 만한 목표를 설정해라. 즉 자아(Ego)와 영혼(Soul)을 충족시키라는 말이다. 자아와 영혼을 충족시켰을 때 비로소 자기 자신(Self)이 탄생하는 것이다.

자, 그럼 'SMART의 원칙'에 따라 최대한 명확한 목표를 적어보자. 몇 분밖에 안 걸리는 작업이지만, 이 작업을 하느냐 마느냐의 차이는 매우 크다. 1년 후 이 리스트를 다시 한번 읽어보라. 그럼 많은 목표가 달성되어 있다는 사실에 깜짝 놀랄 것이다.

먼저 펜을 준비하고 마음을 편안하게 가져라.

미간에 주름이 새겨져 있지는 않은가?

머리로 생각하지 말라.

머리가 아닌 손으로 생각해라.

손이 움직이는 대로 써야 한다.

그럼 당신의 가슴 설레는 미래를 다음 페이지에 적어보라.

SMART의 원칙에 따라 당신의 목표를 적어보자!

08

비상식적인 영어 활용법 스텝 1

사이드 브레이크를 풀어라

이제 당신은 실현 가능성을 높여주는 목표 설정법을 터득했다. **목표를 지닌 사람은 100명 중 3명밖에 없다고 한다.** 그리고 그 3명이 자신의 꿈을 이루는 것이다.

축하한다! 당신은 이제 그 3명 중 1명이 되었다. 목표란 추진력이다. 자동차에 비유하자면 액셀인 셈이다. 당신은 지금 발을 액셀 위에 올려놓은 상태다. 이대로 출발해서 꿈을 이루는 사람도 있다. 하지만 목표를 설정했는데도 이루어질 기미가 보이지 않아 좌절하는 사람, 또는 목표를 설정했을 때는 분명 의욕이 넘쳤는데 일상생활로 돌아오니 자꾸만 흔들리는 사람도 있을 것이다.

명확한 골인 지점만 설정하면 만사가 해결되는 것은 아니다. 또 하나 중요한 것이 있다. 생각해보라. 자동차를 출발시키기 위해서는 액셀을 밟기 전에 무엇을 해야 하나? 사이드브레이크를 풀지 않으면 차는 앞으로 나아가지 않는다.

당신은 지금 명확한 골인 지점을 설정하고, 새로운 자신으로 변하려 하고 있다. 그러나 대부분 사람은 자신에게 무슨 일이 일어나고 있는지 깨닫지 못한다. 인간의 재미있는 점은 무언가를 하기 위해 열심히 노력하려고 결심하면, 그것을 막으려는 힘이 반드시 작용한다는 점이다.

변하려고 하는 자신에게 '안 된다'라고 막는 자신이 있다. 그것이 사이드브레이크다. 이 사이드브레이크는 어렸을 때부터 지녀온 '습관'이다. 걸려 있다는 사실조차 잊어버릴 때도 있다. 지금부터 이제는 필요 없는 사이드브레이크를 풀어버리는 효과적인 질문을 알려주겠다.

실제로 있었던 일이다. 내 고객 중에 어느 경영자가 다시 영어를 열심히 공부하고 싶다며 나를 찾아왔다. 그는 목표도 명확하고, 공부에 대한 의욕도 매우 높았다. 그런 그가 '열심히 수업을 받았는데 아직도 영어를 못한다'라고 말했다.

'어떤 조언을 해줘야 할까?' 나는 그에게 한가지 질문을 던졌다. 그러자 그는 잠시 생각에 잠긴 후 이제야 깨달았다는 표정을 지었다.

이것은 벽에 부딪혔을 때 마법을 일으키는 질문이다.

간단한 질문이지만 효과는 굉장하다.

내가 그에게 던진 질문은 바로 이것이었다.

마법의 질문 2

Q 당신이 영어를 못함으로써 얻는 이익은 무엇인가?

당신도 무슨 말인지 이해가 안 될 것이다.

"영어를 잘하면 좋은 점만 있지 않나? 못해서 좋을 게 뭐가 있어!"

그렇게 생각하는 사람도 있을 것이다. 과연 그럴까?

영어를 못해서 얻는 이점은 마음 깊은 밑바닥에 잠들어 있다. 평소에는 전혀 깨닫지 못하지만, 일단 사실을 깨달으면 사이드브레이크는 풀릴 것이다.

내 이야기를 하겠다. 나는 중학생 때부터 영어가 좋았다. 아니, 실은 다른 과목을 워낙 못해서 좋아하지 않을 수가 없었다. 그래서 NHK 라디오 강좌를 빠짐없이 들었다. 그 방송의 진행자는 매우 예쁜 여성이었다. 사실 그녀는 내가 좋아하는 타입이었다. 발음 연습 때마다 클로즈업되는 촉촉하고 붉은 입술, 하얗게 빛나는 치아, 그리고 매력적인 미소까지. 중학생 주제에 가슴이 두근거렸다.

그래서인지 영어 발음만은 성실하게 연습했다. 어느 날, 학교의 영어 수업시간이었다. 영어 선생님이 나를 지적했다.

"간다, 네가 읽어봐라."

당시 영어 교사들의 발음은 정말 형편없었다. 일본어인지, 영어인지 구분이 안 될 정도였다. 나는 동경하는 그녀를 떠올리며 열심히 책을 읽었다.

"아이 해브 어 캐머러(I have a Camera)."

열심히 혀를 굴리면서. 내가 생각해도 멋진 발음이었다. 그러나 교실 안에 폭소가 일었다.

"캐머러래! 캐머러~, 바보 아니야?"

한마디로 카메라는 '카메라'일 뿐 '캐머러'가 아니었다. 나는 비웃음 속에서 결심했다. 두 번 다시 정확하게 발음하지 않겠다고. 다음부터 영어를 읽을 때는 '아이 해브 어 카메라'라고 읽겠다고. 그래야 시험점수도 깎이지 않고, 반 아이들에게 비웃음을 당하지도 않으니까.

즉 내게는 영어 발음이 정확하지 않음으로써 얻는 크나큰 이점이 있었던 것이다.

영어를 할 줄 아는 사람에 대한 편견은 매우 심하다. 조금만 할 줄 알면 '저 사람은 외국인인가 봐'라고 수군거리거나 '서양물이 들었어'라고 빈정거리며 은근히 괴롭히는 일도 있다. 심지어 해외 사정을 소개하면 '이제부터는 일본의 시대야!'라고 비난한다. 이런 환경 속에서 영어를 못하면 얻을 수 있는 이익은 크다.

결과적으로 '영어를 못한다=진정한 일본인', '영어를 못한다=남자답다' 같은 뒤틀린 가치관이 형성된다. 이런 가치관이 마음속 깊이 달라붙어서 자신의 자유를 제한한다.

과거에는 그 제한이 도움이 되었다. 하지만 지금은 어떨까? 지금도 걸어둬야 할 사이드브레이크일까? 내게 아직 그런 사이드브레이크가 걸려 있는 건 아닐까? 그 사실을 정확하게 인식할 필요가 있다.

영어를 못해서 얻는 이점. 그렇게 느끼기 시작한 계기를 찾아보라. 나처럼 영어 시간에 받은 마음의 상처 때문일지도 모른다. 아니면 영어를 잘하는 친구가 있어서 '그 친구는 당해낼 수 없으니까, 나는 영어를 못하는 사실을 정당화하자'라는 생각 때문일 수도 있다.

모든 것은 과거의 일이다. 이제 시험공부를 할 필요가 없다. 누군가와 경쟁할 필요도 없고, 비교당할 이유도 없다. 그저 '자신답게' 살아가면 된다. 즉 영어를 잘한다는 이유로 다른 사람들에게 이상한 질투를 받을 필요는 없다.

그러니 영어를 잘해도 상관없지 않을까? 영어를 멋지게 구사해도 상관없지 않을까? 이제 그만 자신에게 '영어를 잘해도 된다'라는 허가를 내려주는 것이 어떨까?

09

비상식적인 영어 활용법 스텝 1

네이티브 스피커의 머리로 전환하라

영어를 못하는 이점을 없애고, 자신에게 영어를 잘해도 된다는 허가를 내렸는가? 이제 우리에게 걸려 있던 영어를 잘하면 안 된다는 최면술은 풀리기 시작했다.

이렇게 학습을 시작하기 전에 '준비단계'를 철저히 다져두면, 어떤 학습법과 어떤 교재로 공부해도 지금까지 이상의 효과를 얻을 수 있다. 우리는 액셀을 밟고, 사이드브레이크를 풀었다. 자동차는 달리기 시작했다.

하지만 아직 잠깐만 기다려라. 모험을 떠나기 전에 한 가지 질문이 있다.

"당신은 지금 핸들이 오른쪽에 달린 일본차를 타고 있는가? 아니면 핸들이 왼쪽에 달린 외제차를 타고 있는가?"

단기간에 영어를 배우고 싶으면 핸들이 왼쪽에 달린 차에 타야 한다. 이것은 비유적인 표현이다. 다시 말해 영어로 말할 때 필요하다면

'셀프 이미지(Self Image)'를 외국인으로 만들라는 의미다.

셀프 이미지가 뭐냐고? 말 그대로 자신에 대해 갖고 있는 이미지다. 우리는 태어날 때부터 지금까지 줄곧 '일본인'이라는 이미지를 강하게 지니고 있다. 즉 '일본인은 영어를 못한다'라는 이미지가 당신의 영어에 제동을 건다. 이런 셀프 이미지를 바꾸는 작업은 몇 분밖에 걸리지 않는다. 그런데도 평생 효과를 발휘하는 강력한 방법이다.

인간은 셀프 이미지를 바꾸는 데 굉장한 거부감을 느낀다. 영어를 할 수 있는 새로운 이미지보다 영어를 못하는 지금까지의 이미지로 돌아가는 게 편하기 때문이다.

대부분 사람은 성공할 수 없는 게 아니라 성공하는 것이 두려워서 성공하지 않는다. 마찬가지로 영어를 잘하게 되는 것이 두려워서 영어를 못하는 것이다. 이처럼 무의식 속에는 자신의 변화에 대한 크나큰 두려움이 존재한다.

예를 들어 자신의 목소리를 테이프에 녹음해서 들어보라. 자신의 목소리인데도 기분이 나쁘다. 당장 테이프를 꺼버리고 싶어진다. 그와 마찬가지다. 일본인은 자신의 입에서 영어가 흘러나오는 것에 익숙하지 못하다. 그래서 영어로 말하기 시작하면 마음이 불편해지고 당장 일본어로 돌아가고 싶어진다.

나도 그런 일본인의 셀프 이미지를 억누르기 위해 무척 고생했다. 왜냐, 일본인의 셀프 이미지가 튀어나오면 발상도 일본식으로 변해서 영어가 어색해지기 때문이다. 그러나 '가속학습법'을 배우는 동안 억누르는 것보다 더욱 좋은 방법을 알게 되었다. 무척 간단한 방법이다.

10

비상식적인 영어 활용법 스텝 1

이름만이라도 외국인 기분을 내보자

한마디로 '또 다른 자신'이 되면 된다. 애초에 '자신'이란 하나가 아니다. 앞서 말했듯이 자신은 여러 캐릭터의 집합체다. 따라서 또 하나의 캐릭터를 만들면 된다. 구체적으로 설명하면, 자신에게 '영어 이름'을 붙이고 영어권에서 태어난 네이티브 스피커라는 셀프 이미지를 만드는 것이다.

내 생각에 일본인이 영어를 못하는 커다란 원인 중 하나는 영어 이름을 붙이지 않기 때문이다. 다른 외국인들은 미국에 오면 당연하다는 듯이 영어 이름을 짓는다. '스티브 첸'이니 '오드리 김'이니 하면서 말이다. 그런데 일본인은 일본 이름을 고집한다. 이것이 일본인의 아이덴티티(Identity, 정체성)를 지키는 데 중요한 역할을 하는 건 자랑스럽다. 하지만 영어로 말할 때는 '일본식 영어'와 '일본식 발상'이 튀어나온다.

교토대학의 오시마 키요시(Oshima Kiyoshi) 교수는 "2개 국어를 할 수 있는 사람은 일본어로 말할 때와 영어로 말할 때 뇌 속에서 활성화되는 부분이 다르다"라고 말했다. **즉 같은 사람이라도 일본어로 말할 때와 영어로 말할 때, 사용하는 뇌의 부분이 다르다는 것이다.**

'일본어용 뇌'를 사용해서 영어를 하는 것은 일본어 운영체제로 영어 소프트웨어를 작동시키는 것과 마찬가지다. 그러니 당연히 무리가 따른다. 자연스럽게 영어를 구사하고 싶으면 되도록 영어적인 발상을 해야 한다. 자신의 셀프 이미지를 '네이티브 스피커'로 바꾸면 발상도 영어적으로 바뀌어 자연스러운 회화를 이어나갈 수 있다.

자신에게 영어 이름을 붙이고 영어를 잘하는 사람으로 셀프 이미지를 바꾸는 것이다.

예를 들어 당신의 이름이 '토모조'라 가정하자. 좀 고풍스럽지만 좋은 이름이다. 그러나 외국인에게는 생소하다. 일본인의 이름은 대부분 그렇다. '테츠시, 코사쿠, 후사에, 미즈에, 토시코…' 전부 발음도 어렵고 익숙해지기도 힘들다.

당신의 영어 실력이 늘어서 외국인과 대화를 할 수 있게 되었다. 일단 자기소개를 하는데 갑자기 문제가 발생한다.

"토모조? 토.모.조?"

당신 역시 뭔가 이상함을 느낀다. 영어로 말하는 토모조라니, 뭔가 어색하지 않은가? 물론 이름에는 죄가 없다. 하지만

'역시 나는 일본인이구나'라고 의식해버린다. 이럴 때 영어 이름을 만들어 보자. '토모조'니까 톰(Tom)이다.

'I am Tomozou'가 아니라 'I am Tom'이다.

훨씬 영어 회화답지 않은가? 일단 자신부터 자연스럽게 대화를 진행할 수 으며, 대화의 느낌도 달라진다.

내 이름 '간다 마사노리'도 마찬가지다. 외국인은 매우 발음하기 어렵다. 그래서 나는 '마티'라는 이름을 사용한다. 마이클 J. 폭스(Michael J. Fox)가 연기한 영화 〈백 투 더 퓨처〉의 주인공 이름이다. '마티 간다'. 이렇게 내 이름을 말하면 신기한 일이 벌어진다. 셀프 이미지가 변해 나는 마이클 J. 폭스가 되는 것이다.

사실 나는 일본어로 말할 때는 굉장히 예의가 바르고 조용하다. 내 신조는 '상대방의 말을 잘 들어주는 것'이다. 하지만 '영어 스위치'가 켜진 순간부터 사교적이고 활동적으로 변한다. 게다가 재미있기까지 하다. 정말 '마티'로 변신하는 것이다. 활기 넘치는 말투와 시선 처리, 손짓과 발짓 등, 영화의 장면들이 머릿속에 재생된다. 그래서 굉장히 연기하기 수월하다.

토모조에서 톰이 된 당신도 그냥 톰이 아니다. 영화 〈탑건〉, 〈미션 임파서블〉의 주인공인 톰 크루즈(Tom Cruise)다. 냉정하고 침착하며, 결코 역경에 굴하지 않는 인물. 게다가 인기 만점! 당신은 그런 캐릭터로 변신하는 것이다. '톰 크루즈'라는 셀프 이미지가 말투부터 몸짓까지 당신을 완전히 바꿔준다.

셀프 이미지의 효과는 홍콩의 영화배우들을 떠올리면 잘 알 수 있다. 최초로 할리우드의 주목을 받은 배우는 브루스 리(Bruce Lee)다. 한자로는 '李小龍(이소룡)'이지만, '브루스'라는 영어 이름이 큰 효과를 발휘했다. 그밖에도 재키 첸(Jackie Chan, 성룡), 토니 륭(Tony Leung, 양조위), 제트 리(Jet Li, 이연걸), 매기 장(Maggie Cheung, 장만옥) 등이 홍콩 스타의 영역을 뛰어넘어 할리우드 스타 같은 이미지다.

당신도 이처럼 영어 이름을 짓고, 그 이름에 어울리는 셀프 이미지를 떠올리며 연기를 해보자. 되풀이하다 보면 이미지와 몸이 링크된다. 영어로 말할 때는 목의 근육과 몸짓이 자연스레 바뀌게 된다.

단 진짜로 영어 이름을 사용하라는 것은 아니다. 영어 이름은 어디까지나 자신만의 내적인 이미지로 충분하다. 자기소개를 할 때 실제로 영어 이름을 말할 필요는 없다. 나도 자기소개를 할 때 '마티 간다입니다'라고 하지는 않는다. 일본인이라면 상대방이 어려운 일본 이름을 기억하게 만들어라. 그 정도 능력이 없으면 외국인으로부터 존경을 받을 수 없다.

어디까지나 일종의 테크닉이다. 영어로 말할 때는 영어 이름의 셀프 이미지를 떠올려라. 그러면 영어를 못하는 일본인 캐릭터에서 벗어날 수 있다. 영어 이름을 지으면 핸들이 오른쪽에 달린 일본차에서 핸들이 왼쪽에 달린 외제차로 갈아탈 수 있다.

이제 당신도 멋진 영어 이름을 지어보자. 또 한 명의 자신을 만들 수 있는 귀중한 기회다. 3분 만에 끝나는 작업이지만 그 효과는 평생 지속된다. 즐기면서 생각해보자.

마법의 질문 3

[STEP 1]

영어를 잘하는 사람 중에서 당신의 이상적인 인물을 떠올려보라. 일본인보다는 영어가 모국어인 사람이 좋다. 눈을 감고 그 사람을 떠올려보라.

[STEP 2]

상상 속에서 이상의 인물에게 허가를 받고, 옷을 입듯 그 사람의 몸속으로 들어가라. 이제 당신과 이상의 인물은 하나가 되었다.

[STEP 3]

당신은 태어날 때부터 영어를 할 수 있다. 당신의 영어 이름은 무엇인가? 직감적으로 떠오른 이름을 여기에 적어보라.

My name is

[STEP 4]

새로운 이름이 떠오르면 천천히 이상의 인물에서 빠져나오라. 당신에게 이름을 준 이상의 인물에게 감사의 인사를 하라. 그리고 이 책의 내용으로 돌아오기 바란다.

지금까지 'CHAPTER 3'에서 배운 내용을 간단하게 복습해 보자.

(1) 당신의 진정한 꿈을 파악하고 'SMART의 원칙'에 따라 실현하기 쉬운 목표를 설정한다. **목표로 향하는 자동차의 액셀을 밟은 셈이다.**

(2) 영어를 못해서 얻는 이점을 느끼지 않았는지 영어에 대한 자신의 감정을 돌아본다. **자신에게 걸려 있는 사이드브레이크를 푼다.**

(3) 영어 이름을 짓고 그에 맞는 네이티브 스피커의 셀프 이미지를 만든다. **일본차가 아닌 외제차에 탄다.**

이 3가지 작업을 마친 후 차를 출발시키면, 10년간의 마라톤이 1년간의 단거리 경주로 바뀐다. 그리고 3가지 마법의 질문에 대한 당신의 대답을 시간이 날 때마다 읽어보기 바란다. 이 책을 머리맡에 놓고 잠들기 전에 자신이 쓴 페이지를 읽으면 효과는 배로 증가할 것이다.

11

비상식적인 영어 활용법 스텝 1

두세 번 좌절이 찾아온다

모든 준비가 되었다면 시동을 걸어라. 출발이다! 그렇게 말하고 싶지만, 출발하기 전에 잊어버린 물건은 없는가? 코스를 짧게 만들었지만, 사실 영어를 배우는 여행을 떠나기 전에 한 가지 더 중요한 작업이 있다. 달리기 전에 코스를 확인하는 것이다.

당연한 일이지만 어디론가 여행을 떠날 때는 비가 내리지 않을지, 길이 막히지는 않을지 등의 정보를 알아보기 마련이다. 자동차야 비가 내려도 별로 상관없지만, 영어에서 '실제로 달리는 것은 당신'이다. 비가 내리면 코스를 완주할 수 없다.

따라서 당신에게 찾아올 장애를 어느 정도 사전에 예측해야 한다.

"하지만 간다 씨는 저를 잘 모르잖아요? 그런데 어떤 장애가 발생할지 예측할 수 없지 않습니까?"

맞는 말이다. 하지만 당신에 대해 몰라도 일반적인 가이드라인은 제시할 수 있다. 꼭 영어 학습에만 적용되는 건 아니다.

뭔가 엄청난 보물을 찾아 떠나기로 결심했을 때는 대게 비슷한 패턴의 장애가 발생하는 일이 많다.

물론 패턴을 알고 있다고 해서 장애를 회피할 수 있는 것은 아니다. 하지만 패턴을 알아두면 장애를 성공적으로 극복할 수 있다.

그럼 일반적으로 어떤 장애가 발생하는지 당신에게 알려주겠다. 목표 실현을 위해 영어는 어떻게 향상되어 가는가? 당신의 목표가 '1년 안에 자신의 분야에서 비즈니스 기회를 발견하여 원하는 기업과 거래를 성사시키는 것'이라고 가정해보자. 영어 실력은 과연 막힘없이 향상될까? 아니다. 실제로는 좌절의 순간이 찾아온다.

당신이 예측해야 할 것은 다음 3가지다.

(1) 처음 단계(1st 스테이지)에서는 굉장한 노력을 해야 하지만, 좀처럼 결과가 나타나지 않는다. 따라서 불만이 쌓이고 좌절하기 쉽다. 또 당신에게 제동을 거는 사람이 나타난다.

(2) 중간 단계(2nd 스테이지)에서는 지금까지처럼 노력하면 자신도 모르는 사이에 실력이 향상한다. 단 중간 지점이나 중간 단계의 끝 무렵에 학습의 장애가 되는 요인이 나타나므로 주의하기 바란다. 중간에 해이해져서 그대로 좌절해버리는 패턴이다.

(3) 마지막 단계(3rd 스테이지)에서는 별다른 노력을 하지 않아도 영어 실력이 발휘되기 시작한다. 그러나 최후로 진정한 실력을 시험하는 듯한 사건이….

다음 페이지부터 3가지 단계에 대해 설명하겠다.

1st 스테이지

노력이 좀처럼 결과로 나타나지 않는다

어떤 꿈이든 그 꿈을 이루기 위한 첫 단계는 비행기를 이륙시키는 것과 같다. 많은 에너지가 필요하다.

현실을 바꾸려면 좁은 분야에 집중하여 그곳에 대량의 에너지를 쏟아부어야 한다. 그러면 지금의 현실이 흔들리기 시작한다. 그 흔들림이 커지고, 낡은 현실의 틀이 더 버틸 수 없으면 '새로운 현실'로 옮겨간다. 이것이 내가 생각하는 새로운 현실을 만드는 메커니즘이다. 즉 '에너지= 노력 × 시간'이다.

따라서 첫 번째 단계에서는 공부에 집중적으로 시간을 투자해야 한다. 결과에 집착하지 말고 열심히 노력해라. 일정 기간 계속 노력하다 보면 비로소 무거운 기체가 이륙하기 시작한다. 이륙할 때까지 걸리는 기간은 목표 달성 기간의 3분의 1이다. 단 어디까지나 에너지를 배분하기 위해 보편적으로 잡은 기간일 뿐, 상황에 따라 바뀔 수도 있다. 융통성 있게 대응하기 바란다.

우리는 이미 '비즈니스'로 목표를 압축했기에 평범하게 영어를 공부하는 것보다 훨씬 빠르게 결과를 얻을 수 있다. 그러나 유감스럽게도 이 시기에는 아무리 노력해도 결과가 나타나지 않는 나날이 계속된다. 한마디로 다이어트와 마찬가지다. 처음에는 말할 수 없이 고생스럽다. 먹지 않으니 배는 고픈데 체중은 줄지 않는다.

영어로 말하자면 필사적으로 공부하고 암기해도 전혀 향상될 기미가 안 보이는 단계다.

엎친 데 덮친 격으로 제동을 거는 사람이 나타나기도 한다.

이것이 꿈을 실현하기 위해 통과해야 '제1관문'이다. 예를 들어 열심히 공부를 시작했더니 친구에게 '그래봤자 소용없다'라는 빈정거림을 듣거나, 애인과의 사이가 멀어지거나, 아버지가 유학을 강하게 반대하는 등의 문제가 생긴다. 이 단계에서 제동을 거는 사람은 당신의 결의를 시험하는 존재다.

여기서 좌절할 만큼 어중간한 기분으로는 아무리 시간을 투자해도 목표를 달성할 수 없다. **즉 결의가 굳어질 때까지 모험을 시킬 수 없다, 인생을 낭비하지 않겠다는 메커니즘이 작용하는 것이다.**

제동을 거는 사람이 나타나고, 그 관문을 극복하면 영어 실력은 '향상기'에 접어든다. 다시 생각하면 제동을 거는 사람이 나타났다는 건 영어 실력이 향상될 전조인 셈이다. 그러니까 제동을 거는 사람이 나타나면 마음속으로 고맙다고 인사해라. 그것이 제일 좋은 방법이다.

하지만 대부분 사람은 첫 번째 단계의 괴로운 시기가 영원히 계속될 거라고 착각한다. '이렇게 힘든데 왜 실력이 안 늘지?' 불만에 시달린다. '재능이 없나?' 자신을 의심하거나 '선생님의 학습법이 잘못된 건 아닐까?' 공격하기도 한다.

좌절에 빠질 것 같을 때는 한 번 떠올려보기 바란다.

당신이 현재 가진 '가치 있는 기술'을 처음 배우기 시작했을 때는 과연 어땠는가? 처음부터 막힘없이 쉽게 배웠는가? 가치 있는 기술은 터득하기 전에 반드시 힘든 시기가 있기 마련이다. 영어도 마찬가지다. 힘든 시기는 영원히 계속되지 않는다. 언젠가 끝이 찾아온다.

당신은 지금까지 어려움을 극복해왔다. 극복할 수 없는 어려움은 당신 앞에 나타나지 않는다. 그것이 세상의 법칙이다. 자신의 힘을 믿어라.

2nd 스테이지

똑같이 노력해도 실력이 쑥쑥 향상된다

첫 번째 단계의 괴로운 시기를 벗어나면 이제부터는 하늘로 날아오른 비행기나 마찬가지다. 양력(揚力, 무거운 비행기를 뜨게 하는 힘) 덕분에 별다른 에너지를 쏟아붓지 않아도 결과가 나타나기 시작한다. 정신을 차리고 보면 실력이 눈부시게 향상되어 있을 것이다.

'제1관문'을 돌파하면 차츰 영어 공부가 즐거워지기 시작한다. 이미 습관이 되어 있어서 별다른 노력은 필요 없다. 원서를 읽는 것도, 영어 테이프를 듣는 것도 거부감이 줄어든다.

그러다 보면 주위 사람들로부터 차츰 영어 실력을 인정받는다. 주위의 칭찬에 용기를 얻어 스스로 자신감을 갖는다. '영어를 할 수 있다'라는 셀프 이미지가 고정되기 시작한다.

그러나 좋은 일만 계속되는 것은 아니다. **두 번째 단계는 해이함과 자신감 과잉의 시기이기도 하다. 해이해졌을 때 큰일이 생겨서 영어 공부에 신경을 쓸 수가 없거나, 친구들과 여행을 가는 바람에 매일 공부하는 습관이 사라지기도 한다.**

자신감 과잉에 빠지면 자신감이 순식간에 사라지는 사건이 벌어질 수도 있다. 예를 들면 믿었던 사람에게 영어 실력이 형편없다는 매몰찬 지적을 받거나, 느닷없이 많은 사람 앞에서 영어 실력을 시험받게 되는 바람에 별 볼 일 없는 수준임이 밝혀지는 등의 일이 벌어진다. 그래서 영어 공부가 중단되거나, 자신감을 상실하여 좌절할 가능성이 있다. 이것이 '제2관문'이다.

이 관문은 두 번째 단계의 중반이나 후반에 찾아올 경우가 많다. **말하자면 인생의 중간고사나 기말고사 같은 것이다.**

이상하게 여겨지겠지만, 돌이켜보면 전혀 이상할 것 없다. 자전거 타는 법을 배웠을 때를 떠올려보라. '됐다, 자전거를 탈 수 있게 됐어!' 생각한 순간 넘어져서 무릎을 다친 적은 없는가? 또는 스키를 타면서 '드디어 실력이 늘었어!' 기뻐했는데 다음에 가보니 오히려 전보다 못 타게 된 적은 없는가? 이럴 때 의욕을 잃고 체념해버리는 경우가 많다.

하지만 이것은 자전거나 스키를 의식하지 않고 탈 수 있는 단계가 다가오고 있음을 말해주는 전조다. 여기서 포기하기엔 너무 아깝다.

이런 어려움도 오래 계속되지는 않는다. 그 앞에는 본격적으로 영어를 자유롭게 구사할 수 있는 세계가 기다리고 있다. 조금만 참으면 아무 노력 없이 당연하다는 듯 영어를 구사하는 자신을 만날 수 있다.

3rd 스테이지 의식적으로 노력하지 않아도 실력이 안정된다

모처럼 자전거를 잘 타게 됐는데 넘어져서 다쳤다. 울고 싶다. 그러나 당신은 그것을 극복했다. 이 단계에서는 당연하게 자전거를 탈 수 있다. 즉 영어도 자연스럽게 구사할 수 있다. 원서를 읽는 것도, 영어 테이프를 듣는 것도 당연한 일상이다.

그러면 이번에는 조금 어려운 과제에 도전하고 싶어진다.

자전거로 말하면 한 손을 놓고 타거나 속도계를 달고 빨리 달리고 싶어진다. 마찬가지로 영어도 빠른 속도로 말하는 것을 듣고 싶어지거나 어려운 원서를 읽고 싶어진다.

이렇게 실력이 안정되면 드디어 목표를 달성할 단계가 찾아온다. 자신의 실력을 최대한 발휘할 이벤트가 마련되는 것이다. 해외 비즈니스를 예로 들면, 실제로 해외 기업과 교섭하는 회의가 열린다. 그 기업은 당신이 생각했던 것보다 훨씬 거대한 존재다.

당신은 회의를 하며 식은땀을 흘릴 것이다. 전략을 세워야 한다. 사전에 무슨 말을 할지 연습해야 한다. 영어로 첫 프레젠테이션 자료를 만들어야 한다. 솔직히 모르는 것투성이라 힘들

것이다. 하지만 전부 귀중한 경험이다.

과연 교섭은 성공할까? 실패할지도 모른다. 하지만 두려워할 것 없다. 그냥 조용히 지켜보고 있어라. 실패를 통해 빠르게 배우는 법이다. 그럼 교섭에 실패한 기업을 포기한 후에 곧바로 더욱 훌륭한 기업이 나타날 것이다.

성공하는 것을 두려워하지 말라.

축하 파티를 열 날은 코앞으로 다가와 있다. 꿈을 이루는 과정은 '이상'과 같은 패턴으로 진행된다. 많은 사람의 꿈을 실현하도록 도우며, 그 과정을 관찰해 온 나의 경험을 통해 단언한다.

그런데 대체 이런 패턴이 왜 생기는 것일까? 단순하게 말하면 3가지 단계는 '신화의 패턴'이다. 신화란 인류의 몇 세대에 걸쳐 전해 내려온 이야기다. 따라서 그 이야기는 우리의 잠재의식 속에 박혀 있다. 평소에는 깨닫지 못하지만, 잠재의식은 프로그램처럼 우리의 행동을 좌우한다. 따라서 인간은 신화의 패턴으로 성장한다는 것이 내 가설이다.

셰익스피어(William Shakespeare)는 '인생은 연극'이라고 말했다. 이 말은 비유가 아닌 현실이다. 이런 관점에서 세상을 보면 전혀 다른 세계가 보이기 시작한다. 이건 상당히 재미있는 일이다. 어려움이나 장애가 전부 기회로 바뀌니까 말이다. 애초에 기회(機會)란 '위기(機)'를 '만난다(會)'고 쓰지 않던가.

물론 나는 당신의 미래를 수정구로 들여다보며 예언하고 있는 게 아니다. 어디까지나 내 이야기를 '결정론'이 아닌 어려움을 이겨내어 바꾸는 지적(知的) 게임으로 이용해줬으면 한다.

패턴을 모르면 패턴에 농락당한다. 패턴을 알아야 비로소 패턴을 극복할 수 있다. 그러니까 앞으로 일어날 패턴을 늘 염두에 둬라. 그러면 벽에 부딪히기 전에 미리 조심할 수 있다.

여행 중에 길이 막힐 것을 미리 알면 자신이 좋아하는 CD를 차 안에 준비해 둘 수 있다. 그러면 그 시간이 즐겁고 편안한 시간으로 바뀐다. 마찬가지로 학습 효과에서 가장 빠른 진전을 보이는 사람은 어려움과 좌절에 강한 사람이다.

인간은 예상외의 타이밍으로 불의의 습격을 당할 때 가장 약하다. 그러나 상대가 공격해 올 것을 미리 알면 얼마든지 대응할 수 있다. 대응할 수 있는 문제라면 대응책을 알아둬도 손해 볼 건 없지 않을까?

다시 셰익스피어의 말을 떠올려보자. '인생은 연극'이다. 즉 '영어 학습도 드라마'다. 영어를 공부하면 '영어를 못하는 자신'에서 '영어를 할 줄 아는 자신'으로 변한다. 평범한 사람이 영웅으로 변신하는 드라마다.

하루하루의 노력은 영웅이 되기 위한 여정이다. 당신 앞에는 장애와 시련이 기다리고 있다. 온갖 유혹도 도사리고 있을 것이다. 그러나

그것은 영웅이 되기 위한 통과의례에 불과하다. 그 끝에는 이미 '영어의 달인'인 자신이 기다리고 있다.

*****

여기까지 자기 계발 책 몇 권 분량의 에센스를 영어 학습법에 적용하여 이야기했다. 비상식적일 만큼 단기간에 비즈니스 영어를 마스터할 수 있는 5가지 스텝 중에 '제1 스텝'을 설명한 것이다.

그럼 다음 페이지에서 간다 마사노리의 '비상식적인 영어 활용법 5가지 스텝'을 소개한다.

[제1 스텝] 미래선취의 이미지화

자신이 원하는 영어 실력을 손에 넣겠다는 결의를 다지는 단계다.

[제2 스텝] 영어 정보의 대량 입력

본격적인 여행 시작이다. 그 계기를 만들어주는 '사자(使者)'가 나타난다. 사자를 만나기 위해 좋은 정보를 대량으로 흡수하는 방법을 배운다. 이 스텝을 거치면 원서와 영어잡지를 통해 정보를 흡수할 수 있다.

[제 3스텝] 영어 세계로의 워프(Warp)

비즈니스 파트너와 만나는 여행을 떠난다. 느닷없이 해외라는 비일상적인 세계로 여행을 떠나는 것이다. 뛰어난 파트너와 만나기 위해서는 '입구'를 찾아야 한다. 그 입구를 소개하고, 파트너와 만나는 법을 배운다.

[제4 스텝] 비즈니스 교섭 성사

드디어 클라이맥스다. 이 커다란 이벤트를 성공시킬 수 있는 '영어 커뮤니케이션' 방법을 배운다.

[제5 스텝] 새로운 인간관계 구축

새로운 현실로의 귀환이다. 지금까지 비일상적인 공간이었던 '세계'라는 무대를 일상적인 공간으로 만들기 위해 파트너와 인간관계를 돈독히 쌓는 방법을 배운다.

이런 5가지 스텝을 당신은 어떻게 생각하는가?

"아무래도 순서가 이상한걸. 거꾸로 적은 것 아니야?"

그렇다. 일반적인 상식과는 정반대다.

대부분 사람은 이런 과정을 생각한다. 먼저 단어 실력을 키운 후 원서를 읽는다. 영어를 할 수 있게 되면 해외로 나간다. 외국인과 친해진다. 그리고 친구에서 '비즈니스'로 발전한다. 친구가 되는 게 먼저이고, 비즈니스가 나중인 셈이다.

하지만 내 경험으로는 오히려 반대다. **비즈니스야말로 모든 것의 입구다.** 비즈니스를 통해 멋진 친구를 만나는 경우가 많다. 먼저 그 입구로 들어가기 위해 '최소한의 영어 실력'을 쌓아라. 단기간이라도 좋으니, 해외라는 비일상적인 공간으로 여행을 떠나라.

일상적인 공간에서는 비즈니스의 기회가 찾아오지 않는다. 비즈니스 기회는 비일상적인 공간에 몸을 맡겨야만 비로소 찾아온다. 그리고 열심히 '비즈니스 교섭'에 매달려라. 그 과정에서 필요에 따라 영어를 사용하게 된다.

그러다 보면 파트너와 몇 번씩 식사를 하게 되고, 가족 단위의 교제가 시작된다. 평생의 친구도 생긴다. 즉 느닷없이 비즈니스에 뛰어든 덕분에 자연스럽게 '영어 실력이 향상'되고 당신의 세계는 해외로 확장되는 것이다.

이런 과정을 밟아나가면 영어를 배우기 위해 노력해야 하는 것은 처음뿐이다. 일본과 세계를 연결하는 중요한 인물이 되어 있는 자신을 깨닫는 것은 시간문제다.

돈과 영어의 비상식적인 관계 1

간다 마사노리 지음

초판 1쇄 인쇄 2024년 7월 22일
초판 1쇄 발행 2024년 7월 22일

발행처 리미트리스
이메일 syc1025@naver.com

마케팅 손힘찬
편집자 권정희
디자인 박정호

값 18,000원

ISBN 979-11-984096-3-8
ISBN 979-11-984096-2-1 (세트)